WILL GHÜNDEE
LE CONTINENT OUBLIÉ

Dans la même collection :

LE MONDE PARALLÈLE
LE PASSAGE INTEMPOREL
L'ANTRE DES MALTÏTES
LE CONTINENT OUBLIÉ

À paraître :
LA CHUTE DU SOUVERAIN

Louis Lymburner

WILL GHÜNDEE
LE CONTINENT OUBLIÉ

ÉDITIONS
MICHEL
QUINTIN

Catalogage avant publication de Bibliothèque et Archives
nationales du Québec et Bibliothèque et Archives Canada

Lymburner, Louis

   Will Ghündee : le continent oublié

   Pour les jeunes.

   ISBN 978-2-89435-372-1

   I. Clair, Martin. II. Titre. III. Titre: Continent oublié.

PS8623.Y42W544 2008   jC843'.6   C2008-941133-1
PS9623.Y42W544 2008

Directeur de collection : Guy Permingeat
Illustrations de la couverture et des personnages : Martin Clair
Illustration de la carte : Louis Lymburner
Conception de la couverture et infographie :
      Marie-Ève Boisvert, Éditions Michel Quintin

Le Conseil des Arts du Canada / The Canada Council for the Arts   SODEC Québec   Patrimoine canadien   Canadian Heritage

La publication de cet ouvrage a été réalisée grâce au soutien
financier du Conseil des Arts du Canada et de la SODEC.

De plus, les Éditions Michel Quintin bénéficient de l'aide
financière du gouvernement du Canada par l'entremise du
Programme d'aide au développement de l'industrie de
l'édition (PADIÉ) pour leurs activités d'édition.

Gouvernement du Québec – Programme de crédit d'impôt
pour l'édition de livres – Gestion SODEC

ISBN 978-2-89435-372-1

Dépôt légal - Bibliothèque et Archives nationales du Québec, 2008
Dépôt légal - Bibliothèque et Archives Canada, 2008

© Copyright 2008

Éditions Michel Quintin
C.P. 340, Waterloo (Québec)
Canada J0E 2N0
Tél.:   450 539-3774
Téléc.: 450 539-4905
www.editionsmichelquintin.ca

08 - GA - 1

Imprimé au Canada

À mes amis pour toujours : Michel Caron,
Charlotte Thibault et Arthur Deveau,
trois anges n'ayant que trop brièvement
croisé ma route et retournés aujourd'hui
vers le Grand Esprit…

Qui peut tuer les rêves s'ils sont permis par Dieu...

1
Retour au bercail

— Au secours! À l'aide!

Will, qui discutait avec un client devant la forge, entendit le cri de détresse provenant de l'arrière du commerce. Il accourut aussitôt, prêt à intervenir. Quand il vit le vieux Rod, le visage déjà bleu, coincé sous une charrette lourdement chargée qui menaçait de lui broyer les côtes, son sang ne fit qu'un tour.

— Tenez bon, père, je vais vous tirer de là!

Sans hésiter, Will empoigna le fardier plein de sacs de farine et le maintint solidement puis, faisant appel à toutes ses forces, il commença à le lever lentement, sans discontinuer. Sous le regard ébahi de deux badauds ayant accouru sur les lieux pour prêter main-forte, Will retint la charrette à bout de bras le temps qu'il fallut pour dégager Rod Bigsby.

On expliqua ensuite à Will qu'une des roues avait cédé, entraînant l'affaissement du lourd véhicule, alors que le vieux Rod était allongé dessous pour en examiner l'essieu. Devant le propriétaire horrifié, le robuste forgeron s'était retrouvé prisonnier sous l'imposante masse. De ses deux mains, il avait retenu avec l'énergie du désespoir l'essieu qui lui comprimait la poitrine.

L'intervention opportune de Will, désormais célèbre, évita ce jour-là au vieux maître de forge une fin tragique. L'incident impressionna grandement ce dernier qui, plus fort que tout autre homme au village, n'avait jamais vu de toute sa vie un garçon, aussi robuste fût-il, accomplir un tel exploit.

Ce qui lui avait fait dire, en posant avec fierté sa grosse main sur l'épaule de Will :

— Mon garçon, avec ces deux-là comme témoins, ton exploit restera à coup sûr gravé dans les annales de Mont-Bleu.

☽ ☆ ☾

Cet événement, qui aurait pu mal se terminer, tranchait avec la vie paisible qui était la sienne depuis son retour du tumultueux voyage au cœur de l'Antre des Maltïtes. Un an s'était écoulé et Will appréciait de plus en plus l'existence qu'il menait à Mont-Bleu, entouré de tous ceux qu'il chérissait. Bien que le vieux Rod eût été fortement ébranlé par sa disparition inexpliquée, le retour de son fidèle apprenti lui avait fait retrouver sa légendaire ardeur au travail. Désireux de faire oublier l'émoi qu'il avait causé à son père d'adoption, Will, trop heureux de retrouver son travail à la forge, mettait les bouchées doubles.

Ses rares moments de liberté, il les passait avec la belle Catherine McBride, la fille du médecin, qui était devenue, au fil du temps, sa plus fidèle amie. Tous deux étaient inséparables. Sans qu'il se l'avouât consciemment, Will trouvait Catherine fort jolie avec ses grands yeux bleus et sa longue chevelure brune.

Avec tous les tourments qu'il avait connus par le passé, Will en était encore à reconstruire sa vie affective. Il ne chercha donc pas à analyser ce qu'il ressentait. À quinze ans, pour la première fois de sa vie, il découvrait ce qu'est une réelle complicité.

L'amitié rafraîchissante qu'il partageait avec Catherine avait l'effet d'un baume sur ses blessures morales qui, depuis son arrivée à Mont-Bleu, cicatrisaient plus vite qu'il ne l'aurait cru.

Mais, une ombre vint obscurcir son existence. Depuis quelques jours, une transformation s'opérait en lui, se traduisant par un accroissement de ses pouvoirs mentaux, de son don de clairvoyance et de sa force physique. Quant à son ouïe, elle n'avait jamais été aussi aiguisée.

Puis, un jour, alors qu'il travaillait aux côtés du vieux Rod, Will eut une vision : son bienfaiteur, terrassé par un mal atroce, s'effondrait sur le sol. Le phénomène se reproduisit quelquefois par la suite, ce qui fit naître chez lui les pires craintes quant à la santé du forgeron. Il lui arrivait même, au cours de ces visions, de ressentir une vive douleur abdominale qui l'obligeait, le temps qu'elle perdurait, à plier les genoux. N'ayant jamais fait état de ses dons particuliers, Will ne pouvait partager avec qui que ce soit les sombres pensées qui l'habitaient.

Un matin de septembre Will s'éveilla, le front ruisselant de sueur. Il émergeait pour la énième fois du cauchemar mettant en cause la santé du vieux Rod. Profondément troublé par tous ces rêves, il bondit hors de son lit, enfila prestement ses vêtements et quitta en douce la maison familiale. Il éprouvait un besoin urgent de se retrouver dans la forêt de Mont-Bleu, son lieu de prédilection, où il pourrait se ressourcer dans le calme de la nature.

La matinée passa sans que Will donnât signe de vie. Inquiet de l'absence de son précieux apprenti, le vieux Rod ferma boutique et partit à sa recherche dans les rues du village.

— Bonjour, monsieur Bigsby. Que se passe-t-il? Vous semblez bien inquiet! demanda Catherine qui croisait sa route.

— Ah, Catherine! Tu n'aurais pas vu « mon » Will par hasard? Il a disparu depuis ce matin! s'écria le vieil homme.

— Non, monsieur Bigsby. Je n'ai pas vu Will. Par contre, j'ai une petite idée de l'endroit où il pourrait être.

Vive comme l'éclair, la jeune fille courut en direction de la forêt en lançant, avant de disparaître dans les arbres :

— Ne vous inquiétez pas, je vous le ramène dans peu de temps!

— Bien! Souhaitons qu'il n'ait pas encore disparu... murmura le forgeron, à demi rassuré, en reprenant la direction de sa forge.

Après avoir suivi le petit sentier qui serpentait à travers bois, Catherine aperçut enfin Will. Il était assis sur le parapet du vieux pont qui enjambait la rivière Blanche, à l'endroit même où ils avaient l'habitude de s'arrêter après une balade en forêt.

À l'arrivée de Catherine, Will leva les yeux, lui fit un petit signe de tête et replongea aussitôt dans ses réflexions.

— Ça va, Will? Je te trouve bien sombre aujourd'hui. Tu sais que ton père te cherche partout? Il est très inquiet.

— Ah bon! répondit-il, tandis qu'un court éclat lumineux traversait son regard.

— Will, pourquoi t'isoler ainsi?

— J'avais juste besoin d'un peu de tranquillité pour réfléchir.

— Réfléchir! Mais à quoi? Qu'est-ce qui se passe?

— Je n'en sais trop rien… C'est difficile à expliquer. Je préférerais ne pas en parler...

— Will! Depuis le temps qu'on se connaît tous les deux, tu sais que tu peux me faire confiance. Allez, dis-moi ce qui te tourmente au point de

venir te réfugier ici, sans même avertir ta famille?
supplia Catherine.

Devant son insistance Will céda :

— Ce sont ces affreux cauchemars… Ils ne
cessent de me tourmenter! Je n'en peux plus.
C'est chaque fois pareil, je vois le vieux Rod
s'écrouler puis mourir. Et moi, j'assiste à la scène,
impuissant, incapable de lui venir en aide.

De nouveau la scène, toujours la même, du forgeron agonisant à ses pieds lui revint à l'esprit.

— Allons, Will, reprends-toi! déclara Catherine
en le secouant. Ce ne sont que des cauchemars.
Ne leur prête pas trop d'attention et ils disparaî-
tront comme ils sont venus. Fais-moi confiance!
J'ai vécu la même chose l'année dernière alors
que je traversais une période difficile. Mes nuits
étaient peuplées de créatures hideuses prêtes à
me dévorer. Je cherchais à fuir sans jamais pouvoir y parvenir.

Puis, elle se fit rassurante :

— Cesse de t'inquiéter inutilement. Ton père
est en pleine forme et il n'y a pas plus costaud
que lui dans toute la contrée, à part toi bien sûr!

En disant cela, la jeune fille esquissa un sourire
timide tandis que ses joues rosissaient.

Cette dernière intervention sembla chasser l'air soucieux que Will affichait depuis le matin.

— Tu as peut-être raison après tout, je m'en fais sûrement pour rien. Le vieux Rod est solide comme le roc.

— Que dirais-tu, à présent, si nous allions le rassurer?

Will se contenta de sourire en signe d'approbation puis ils repartirent en direction du village.

Lorsqu'ils arrivèrent à proximité de la forge, Will fut étonné de ne pas entendre l'habituel son du marteau frappant l'enclume. Sur le pas de la porte, restée entrebâillée, les deux inséparables virent de nombreuses pièces métalliques sur le sol, le long de l'allée centrale.

C'est étrange. Cela ne ressemble pas au vieux Rod, lui qui est si ordonné de coutume…

Tout de suite, Will comprit que quelque chose d'anormal venait d'arriver. Il s'arrêta et chercha le forgeron du regard.

— Père! Vous êtes là?

Imité par Catherine, il dirigea ses pas vers le fond de l'atelier éclairé par un rayon de soleil.

Alors qu'ils allaient l'atteindre, une plainte leur parvint de derrière un gros pilier.

— Will! par ici, s'écria Catherine.

Le forgeron gisait étendu sur le sol dans un enchevêtrement de morceaux de métal.

— Will mon garçon... va chercher le docteur McBride. Fais vite... je ne me sens pas bien du tout, implora le forgeron avant de s'évanouir.

Will se tourna vers Catherine avec désarroi. Mais déjà celle-ci courait en direction de sa maison pour quérir son père.

2
Le secret dévoilé

Au chevet du vieux Rod, le docteur McBride constata la gravité de son état. Il le fit transporter dans sa chambre, à côté de la forge, afin de faire un examen plus approfondi. Le bon docteur visiblement étonné de voir son ami le forgeron, véritable force de la nature, dans un tel état, diagnostiqua à première vue un « choc de Demsted » – du nom du médecin qui le premier avait découvert le symptôme –, traumatisme cérébral pouvant parfois occasionner un coma temporaire.

Diagnostic évident puisque le forgeron, pris de vertiges soudains, avait, en tombant, heurté de la tête une pièce de métal rangée au fond de l'atelier.

— Veillez bien votre mari et envoyez-moi quérir lorsqu'il reprendra conscience, recommanda Ralf McBride à madame Bigsby.

☽ ☆ ☾

Les jours qui suivirent, Will prit en charge le commerce du vieux Rod. Ces nouvelles responsabilités l'accaparèrent suffisamment pour qu'il en oublie un peu ses préoccupations.

Rod Bigsby demeura inconscient deux jours durant. Mais, même après être sorti du coma, le retour à la santé du brave forgeron se faisait attendre. Le docteur McBride se rendit chez son réputé confrère William Demsted, médecin personnel du prince Victor, souverain de la contrée, afin d'avoir son avis.

Son homologue doutant qu'un choc cérébral puisse être à l'origine de cette chute de vitalité chez Rod Bigsby, le spectre du « Mal noir » – maladie très rare et incurable qui affecte principalement les fonctions motrices – commença à poindre dans l'esprit de Ralf McBride. Après moult examens, c'est la mort dans l'âme qu'il rendit son triste verdict.

— Dorothée, Will, je suis profondément désolé de vous apprendre que Rod est atteint du Mal noir.

Le docteur McBride, qui était venu en compagnie de sa femme et de sa fille afin de soutenir la famille dans cette terrible épreuve, fut touché par la réaction de Will.

— Non! ce n'est pas possible! se révolta celui-ci. Il doit bien y avoir un remède.

— Désolé, mon garçon... J'ai consulté le docteur Demsted qui est le meilleur médecin de la contrée et, malheureusement, il est formel : notre science ne peut rien pour lui. C'est une question de semaines, de mois tout au plus.

— Non, c'est trop injuste! Je refuse de baisser les bras! Cette fois-ci c'est moi qui irai vers eux!

Will quitta aussitôt la pièce pour se réfugier dans sa chambre. Après quelques instants, Catherine, qui surveillait la cour arrière par une fenêtre du deuxième étage, le vit sortir en trombe de la maison et filer en direction de la forêt.

Préoccupée par la réaction de son ami, elle eut envie de le suivre mais se ravisa, préférant respecter son besoin de solitude.

Au bout d'un moment, toutefois, elle prit à son tour la direction des bois. Elle trouva encore Will assis sur le parapet du pont qui enjambe la rivière Blanche. Il caressait machinalement une

couverture de couleur vert vif, tout en marmon-
nant des paroles incompréhensibles.

— Will! Que se passe-t-il? Nous sommes tous
très inquiets à ton sujet. Tu nous as fait peur tout
à l'heure. Tu tenais un discours incohérent.

— C'est décidé, je repars! Cette fois-ci, c'est
moi qui irai vers eux, répéta Will tout aussi
mystérieux.

Visiblement troublé et tentant de refréner un
sentiment de colère, il ajouta :

— Pourquoi dois-je toujours perdre ceux que
j'aime... La vie est injuste! Je ne resterai pas les
bras croisés à regarder mourir le vieux Rod. J'ai
suffisamment perdu d'êtres chers jusqu'ici. J'irai
quérir leur aide par mes propres moyens, s'il le
faut! S'il existe la moindre chance de sauver mon
bienfaiteur, j'en prends le risque.

Puis, semblant se calmer, Will se remit à ca-
resser d'un air absent sa couverture, comme si
c'était pour lui son unique réconfort.

— Parle-moi, Will! Allons, vide-toi le cœur! Tu
verras, après ça ira mieux. Tu peux tout me dire.
Ne suis-je pas ta meilleure amie?

— Oui, mais... Oh, et puis, laisse tomber! Tu
es gentille, Catherine, mais... je ne peux rien

dire. De toute façon, tu ne me croirais jamais. Personne de sensé ne pourrait croire une histoire pareille.

— Essaie toujours, renchérit-elle en posant doucement sa main sur le visage de Will et en l'obligeant à soutenir son regard.

Will se noya un instant dans ces yeux si pleins de sollicitude. Soudain, il sembla prendre une décision :

— Bon, je vais essayer de tout te dire, cependant, tu dois me promettre, quoi qu'il arrive, de garder le secret!

— C'est juré!

— Depuis un peu plus d'un an, je me suis retrouvé, à deux reprises et bien malgré moi, prisonnier d'un monde parallèle. La première fois, c'était avant que je m'installe à Mont-Bleu. La seconde, il y a un peu plus de dix mois, alors que le vieux Rod et sa femme ont été bouleversés par ma disparition soudaine.

« J'étais, en fait, dans cet univers fantastique où vivent les Koudishs, des hommes de petite taille qui maîtrisent l'art de la magie. Chaque fois, on m'a donné la mission d'aider ces êtres si attachants. Ce sont eux qui m'ont fait cadeau de cette couverture magique, ornée d'ailleurs de leur blason. Elle me permet de faire apparaître, en cas de besoin, des pièces d'or pour assurer ma subsistance.

« Quant à la pierre que je porte au cou, elle m'a été donnée par Arouk, un petit animal appelé Taskoual. »

Will raconta alors à Catherine l'histoire de sa rencontre avec Arouk, devenu après sa mort, Gaël, son céleste protecteur[1].

— Tu sais, l'épée que je t'ai montrée l'autre jour en te demandant de n'en parler à personne...

— Tu parles de cette arme que tu as cachée sous le plancher de la forge?

— Oui, celle-là même. En fait, c'est la réplique exacte de l'originale qui, elle, recèle de prodigieux pouvoirs. Elle m'a sauvé la vie à maintes reprises lorsque j'ai eu à combattre les forces obscures, car elle est imprégnée d'une sagesse divine qui surpasse toute compréhension humaine. Hélas, tout ce qu'il m'en reste aujourd'hui, est cette pâle imitation que j'ai fabriquée avec l'aide de mes amis Koudishs, Markus et Yolek. C'est pourquoi je la garde si précieusement en souvenir de cet épisode de ma vie.

---

1. Voir *Le monde parallèle*, coll. Will Ghündee tome I, Éditions Michel Quintin et *Le passage intemporel*, coll. Will Ghündee tome II, Éditions Michel Quintin.

— Oh, Will… tu te moques de moi?

— Voyons, Catherine, jamais je n'oserais!

Mais, voyant son regard incrédule, Will rajouta :

— Puisque tu ne me crois pas, je vais te prouver la véracité de tout ce que j'avance en mettant la couverture à l'épreuve.

Will ferma les yeux, se concentra puis frotta délicatement l'emblème brodé, représentant le sceau du village koudish sur la pièce de tissu. La couverture passa tout à coup du vert à l'ocre vif, de la même couleur que les trois pièces dorées qui venaient d'apparaître dans le creux de sa main.

— C'est miraculeux! Comment arrives-tu à faire ce tour de magie! s'exclama Catherine, ébahie.

— Ce n'est pas moi, je te l'ai dit, c'est la couverture! Cependant elle ne peut être utilisée qu'à bon escient et seulement pour assurer ma survie. Si donc elle a livré son secret, c'est que tu devais connaître la vérité.

« Alors tu comprends… Je dois absolument retourner là-bas, sinon le vieux Rod mourra, c'est certain. »

— Je te trouve bien mystérieux, Will, et j'ai peine à saisir quelles sont tes intentions... Tu veux retourner dans cet autre monde, une fois de plus? Explique-moi comment la santé de ton père pourrait être reliée à ce peuple de petits bonshommes qui habite cet univers parallèle dont tu m'as parlé.

— Euh... c'est trop compliqué... laisse tomber, Catherine. Tu veux bien? J'ai besoin d'être un peu seul pour réfléchir à tout ça.

— Non, Will Ghündee, tu en as trop dit ou pas assez, alors continue! insista Catherine.

— Bon, voilà! Je dois absolument retourner dans le monde parallèle, parce que mes amis Koudishs sont les seuls à pouvoir m'aider à sauver le vieux Rod! Je ne peux l'expliquer rationnellement, je le sens ici, répliqua Will en montrant sa poitrine où une faible lueur rouge oscillait depuis quelques instants à travers sa chemise blanche.

— Dans ce cas, je viens avec toi! déclara Catherine, fascinée par le phénomène lumineux qui émanait du thorax de son compagnon.

Puis, d'un air décidé, la jeune fille planta, dans celui de son ami, un regard qui n'exigeait rien de moins qu'une réponse affirmative de sa part.

L'intensité de son regard me rappelle celui de la princesse Arthélia.

Momentanément troublé par cette touchante démonstration de solidarité, Will se ressaisit cependant.

— Je suis désolé, Catherine, mais… je dois refuser. C'est trop dangereux. Je ne peux te faire courir un tel risque. S'il t'arrivait quelque chose, je ne me le pardonnerais jamais. Mais tu dois m'assurer, encore une fois, que tu garderas tout ceci secret! insista Will en pesant bien ses mots.

— Will! Laisse-moi venir avec toi, sinon, je vais t'en vouloir pour le reste de ma vie!

Voyant que Will ne céderait pas, la jeune femme finit par acquiescer. D'un hochement de tête résigné, elle lui signifia son acceptation de garder le silence. Puis, elle repartit, le cœur lourd, en direction du village, laissant Will seul avec lui-même.

3

Une décision déchirante

Le soleil déclinait à l'horizon lorsque Will revint à la maison après une longue méditation. Dès qu'il eut franchi la porte d'entrée, sa mère l'interpella de la chambre du vieux Rod.

— Will, il dit qu'il veut te voir.

Elle tendit vers lui une main maternelle afin de l'inviter à venir s'asseoir auprès du malade.

— Bon, je vous laisse entre hommes.

Dorothée Bigsby quitta silencieusement la pièce, tandis que Will s'assoyait près du forgeron. Il posa sa main sur son avant-bras. Puis, regardant avec amour son bienfaiteur, il lui dit tout doucement :

— Monsieur, je suis désolé de vous avoir causé tant de soucis en disparaissant comme je l'ai fait à deux reprises. Pourtant, une fois de plus, je vais devoir m'absenter. J'aurais bien voulu ne pas avoir à le faire dans un moment pareil, mais je n'ai pas le choix.

— Will, mon garçon, tu sais que je t'ai toujours considéré comme mon fils, murmura le vieux forgeron, le souffle court.

— Oui, monsieur…

— J'ai toujours respecté le fait que tu ne parles pas de ton passé, mais as-tu songé au chagrin que tes absences inexpliquées causent à Dorothée qui t'aime comme une mère? Elle se fait un sang d'encre chaque fois que tu disparais ainsi, mystérieusement.

— Je sais, monsieur, mais vous devez me faire confiance. C'est une question de vie ou de mort.

Pour la première fois, Will soutint le regard de son père adoptif. Après un moment de silence, il reprit avec conviction :

— Je ne peux malheureusement pas divulguer ce qui motive cette nouvelle absence. Sachez cependant que, cette fois-ci, je pars uniquement pour vous et, n'ayez crainte, je reviendrai vite!

— Mon pauvre garçon, tu sais que je ferais tout pour toi, mais ne me demande pas d'approuver ces absences insolites qui nous brisent le cœur.

Will constata alors combien Rod Bigsby paraissait vieux et fragile. Malgré sa forte stature, le solide gaillard semblait aussi vulnérable que le grand chêne qui s'incline sous les coups de hache du bûcheron. Derrière l'image de l'homme endurci qu'il avait toujours projetée, le vieux Rod dissimulait une grande sensibilité qui se dévoila soudain quand ses yeux se gonflèrent de larmes.

— Je vous promets solennellement de revenir le plus vite possible!

Pour échapper à l'émotion qu'il sentait monter en lui, Will quitta promptement la pièce et se dirigea vers la cuisine où Dorothée Bigsby l'accueillit à bras ouverts, trop heureuse de l'avoir un peu à elle toute seule.

Il se réfugia ensuite dans sa chambre pour le reste de la journée. Dans le calme, il repensa longuement au geste, peut-être irrémédiable, qu'il allait poser en tentant par ses propres moyens de réintégrer le monde parallèle.

Les jours suivants, Will s'acquitta en silence de sa tâche à la forge. Dès qu'il avait un moment de répit, il disparaissait dans la forêt sous le regard soucieux de Catherine qui, encore sous le coup de la rebuffade qu'elle avait essuyée, s'abstint de venir troubler son besoin de solitude.

Même endurci par tout ce qu'il avait vécu au cours de ses voyages précédents, Will était partagé entre son amour pour ceux qu'il chérissait à Mont-Bleu et l'aide indispensable que pouvaient lui fournir ses amis du monde parallèle pour sauver le vieux Rod.

Moins d'une semaine après que Will eut révélé son secret à Catherine, une chose se produisit qui le décida à passer enfin à l'action. Tiré de son sommeil par un de ses cauchemars habituels, Will entendit un léger bourdonnement provenant de la table de nuit sur laquelle reposait sa pierre. Alors qu'il ouvrait péniblement les yeux, une aveuglante lumière blanche, provenant du mur en face de son lit, l'éblouit. Il se couvrit le visage de ses mains.

Comme il se redressait dans son lit, une voix familière résonna dans la pièce :

— Te voilà bien torturé, Will Ghündee! C'est d'ailleurs ce qui m'amène.

Le grand halo blanc, en se dissipant légèrement, laissa entrevoir un visage radieux.

— Gaël! Comme je suis heureux de te revoir!

— Will, je sais que tu traverses une épreuve
difficile et ta tristesse est parvenue jusqu'à
nous. Je sais aussi tout ce que tu as accompli par
altruisme. C'est pourquoi, avec la permission
de Celui qui gouverne tout, me voilà à nouveau
auprès de toi...

— Gaël, c'est mon père! Il est au plus mal!
Sans l'aide de mes amis Koudishs, il va mourir.
Dis-moi, est-ce folie de ma part que de vouloir à tout prix retourner dans le monde parallèle?

— Will, reprit posément Gaël, le Grand
Esprit t'a fait cadeau de dons précieux qui font
de toi un être à part. L'un d'eux est celui de la
clairvoyance. Ce que tu vois dans ces courtes
visions qui te surprennent à l'occasion, ainsi
que ces cauchemars répétitifs, ne sont hélas que
les signes avant-coureurs de drames qui vont
se produire bientôt. Pour ce qui est de te dire
ce que tu dois faire, la décision n'appartient
qu'à toi.

« Personne n'a le droit de te priver de ton libre
arbitre. Tu dois cependant savoir que, cette fois-
ci encore, rien ne sera simple. Cette fois la vie de

ton bienfaiteur n'est pas menacée par une charrette. Le pauvre homme est atteint d'un mal pour lequel les hommes de ton monde n'auront aucun remède avant de nombreuses décennies. »

— Mais Gaël, j'ai l'intime conviction que je peux encore sauver le vieux Rod. Pour y arriver, je sens au plus profond de mon être qu'il me faut retourner dans le monde parallèle. Mais comment dois-je m'y prendre?

— Là encore, toi seul peux trouver la réponse à cette question, mais cela ne pourra se faire que lorsque tu auras surmonté ton sentiment de culpabilité, termina Gaël avec sollicitude.

Puis son image s'estompa doucement tandis que le grand halo blanc qui l'entourait était aspiré graduellement par la fenêtre entrouverte.

— Gaël, attends! Ne pars pas! cria Will en bondissant hors de son lit jusqu'à la fenêtre. Si je dois encore une fois abandonner ceux que j'aime, ils ne s'en remettront peut-être pas! Cela ne risquet-il pas de précipiter la mort du vieux Rod? Et puis, sans la pierre ancestrale du Guibök, c'est impossible!

De nouveau seul, Will, toujours rongé d'incertitude, fixait intensément la lune. Soudain, une brise se leva. L'astre lunaire, entre deux gros nuages, sembla s'animer et lui sourire. Ramené à la réalité, Will entendit, tel un vent hivernal soufflant à sa fenêtre :

— Si tu désiiiiiires retrouver le chemin du monde parallèèèèèèle, tu dois faire la paix avec toi-mêêêême...

Puis la voix se tut, laissant Will songeur. Il fut incapable de trouver le sommeil durant le reste de la nuit. À l'aube, il quitta sans bruit la maison endormie non sans avoir pris quelques provisions et laissé un mot, qui se voulait rassurant, à ses parents.

Après avoir récupéré son épée à la forge, Will s'engagea sur la route de la forêt par laquelle il était arrivé à Mont-Bleu en provenance du monde parallèle.

Alors qu'il marchait d'un pas décidé, il eut soudain la sensation d'être observé. Cependant, chaque fois qu'il s'immobilisait pour scruter autour de lui, tout semblait normal.

Ce sont sans doute mes amis Koudishs qui essaient de me localiser. Ils auront deviné mes intentions.

Après deux jours de marche, et alors que la pénombre commençait à s'installer, Will reconnut au loin la ligne verte qui coupait l'horizon. Cette dernière annonçait la mystérieuse forêt dans laquelle il s'était retrouvé prisonnier alors qu'il fuyait la vie misérable imposée par l'oncle Tom[1].

À l'orée du bois, Will fut toutefois incapable de trouver le sentier qui menait jadis à la forêt d'Holdafgërg, ni les énigmatiques fleurs mauves qui l'avaient envoûté la première fois. Il s'assit donc par terre pour souffler un peu et réfléchir calmement à la situation. Tout en tapotant sa pierre et en fixant les sousbois devant lui, il implora l'aide de la déesse Aurora.

N'obtenant aucune réponse à ses prières et fatigué de ses deux longues journées de marche, il s'endormit contre un buisson. Beaucoup plus tard, d'inquiétants craquements le tirèrent de son sommeil.

En ouvrant les yeux, Will, surpris, aperçut de gigantesques lucioles, celles-là même qu'il avait vues lors de son premier voyage dans le monde parallèle. Ces dernières virevoltaient sur place à quelques pas de lui. Peu de temps après, les insectes s'amenèrent dans sa direction et se mirent à tournoyer au-dessus de sa tête pour ensuite se diriger de nouveau vers les bois. Il se laissa guider et s'engouffra à son tour dans la noirceur enveloppante de la forêt.

---

1. Voir *Le monde parallèle*, coll. Will Ghündee tome I, Éditions Michel Quintin.

Au bout de quelque temps, les lucioles se regroupèrent. Puis, telle une traînée lumineuse, elles se dirigèrent vers le bas du tronc d'un majestueux feuillu dans lequel une large crevasse éclairée venait d'apparaître, pour ensuite disparaître comme par magie au cœur du grand végétal.

Après le passage des lucioles, l'entaille se referma, ne laissant filtrer qu'une faible lueur à peine visible. Guidé par celle-ci, Will s'avança lentement. À proximité du tronc, la pierre de la déesse oscilla faiblement puis vibra.

Au moment où Will posa le doigt sur l'écorce, la fente s'ouvrit lentement, laissant de nouveau jaillir une vive lumière blanche.

Lorsque ses yeux se furent habitués à la forte luminosité, il vit serpenter, au cœur du grand végétal, le même sentier de lumière qu'il avait déjà emprunté pour sortir de la forêt magique.

Sans hésiter, Will pénétra par l'ouverture béante et se retrouva sur le sentier éblouissant. Mais, à peine y avait-il fait quelques pas qu'un cri résonna derrière lui.

— Non, Will! Attends!

Malgré l'intense clarté, Will, qui s'était retourné, reconnut aussitôt sa fidèle amie.

— Catherine! Qu'est-ce que tu fais ici? C'est de la folie. Retourne à Mont-Bleu!

Mais, loin d'obtempérer, la courageuse jeune fille pénétra à son tour dans l'arbre magique. Will, tout en reculant vers la lumière, se mit à gesticuler dans sa direction :

— Non, Catherine! Tu ne dois pas me suivre! C'est trop dangereux! Sors de là avant qu'il ne soit trop tard!

Encore une fois, Catherine ne tint pas compte des avertissements de Will, bien au contraire, elle courut vers lui. Ils se retrouvèrent tous deux inondés par le prodigieux flot lumineux du sentier magique.

— Catherine… tu n'aurais jamais dû…

Au moment où leurs mains se touchèrent, une explosion éblouissante les secoua. Sous l'impact, ils furent violemment séparés l'un de l'autre puis, soudainement, tout disparut.

)) ☆ ((

Will se retrouva flottant au cœur d'un tourbillon de lumière. Quelques instants plus tard, il fut éjecté avec force dans un grand tube argenté, incliné vers le bas.

Une folle glissade commença. Will essaya de freiner sa descente en s'aidant des parois luisantes qui l'entouraient. Mais rien n'y fit car ses mains semblaient passer au travers des cloisons.

Au terme de cette longue chute, le tube aboutit dans un gouffre où brillait une forte lumière bleutée. Will y tomba la tête la première et perdit conscience.

4

Troublante rencontre

Lorsque Will ouvrit les yeux, un frisson le parcourut de la tête aux pieds, provoquant sur tout son corps de violents tremblements. Le contact prolongé avec le sol froid et humide sur lequel il était étendu l'avait transi jusqu'aux os. Il se redressa péniblement sur ses avant-bras, alors que tous ses muscles endoloris lui donnaient l'impression d'avoir été piétiné par un troupeau de bêtes sauvages.

Il essuya du revers de sa manche ses yeux obstrués par une étrange substance bleuâtre. Lorsqu'il put enfin les rouvrir, il constata avec désarroi, à travers la grisaille, qu'il se trouvait sur une plage battue par une mer aux flots agités.

Dans un mouvement de va-et-vient continuel, la majestueuse étendue d'eau qui s'étirait à perte de vue recrachait sur le bord ses vagues sombres qui venaient mourir à ses pieds. En se relevant, Will remarqua que la plage de sable gris où il se trouvait était ceinturée par une chaîne de récifs aux reliefs accidentés.

Où suis-je? Comment ai-je bien pu aboutir ici?

Encore pris de vertiges, Will sentit tout à coup, à sa ceinture, la présence rassurante de son épée, bien calée dans son fourreau. À ce contact, certains événements commencèrent à refaire surface…

Pauvre vieux Rod, pourvu qu'il tienne le coup jusqu'à mon retour. Bon, maintenant il faut que je retrouve Catherine.

La main au-dessus de ses yeux, Will fit un rapide tour d'horizon. Aucune trace de sa fidèle amie!

J'espère qu'elle n'est pas restée coincée entre les deux mondes.

Refusant de céder à la panique, Will l'appela à grands cris. Ne recevant aucune réponse, il décida d'élargir son champ de recherche. Il partit donc, en longeant la plage, en direction d'une pointe montagneuse aux formes bizarres qui rappelait vaguement une gigantesque tête de pachyderme.

C'est ma faute si elle m'a suivi. Je n'aurais jamais dû lui parler du monde parallèle. Il faut à tout prix que je la retrouve.

Après avoir marché sous un ciel bas où courraient des cumulus aux formes inquiétantes, Will aperçut, non loin de lui, un gros volatile au plumage foncé qui sautillait sur le sable, sa tête disparaissant derrière un gros rocher, puis qui retournait se percher un peu plus loin.

Intrigué par ce curieux manège qui rappelait celui des charognards, Will pressa le pas. À proximité du rocher, il fut envahi par la crainte.

Et si c'était au corps inerte de Catherine que le rapace s'attaquait...

À cette idée, Will courut vers l'oiseau en gesticulant et en criant à tue-tête pour le chasser. Mais celui-ci, nullement effrayé, se contenta de le regarder s'amener vers lui. Par sa taille, le volatile aurait pu passer pour un lointain cousin du Huzak, mais sa queue et ses pattes griffues s'apparentaient plutôt à celles d'un lézard. Son plumage, noir ébène, duquel dépassaient de longues oreilles en pointe, accentuait son air louche.

— Va-t'en, oiseau de malheur! Laisse-la tranquille ou je te tords le cou! s'écria Will en arrivant en trombe.

Il constata alors, avec un certain soulagement, que l'oiseau noir s'intéressait plutôt à un petit objet métallique qui semblait coincé sous un énorme tronc d'arbre. Le végétal déraciné reposait sur la plage et une partie de ses branches, aux feuilles encore vertes, étaient enterrées dans le sable.

Mais, c'est l'arbre magique grâce auquel nous avons transité entre les deux mondes. Je reconnais la cicatrice.

Intrigué, Will se pencha pour récupérer l'objet que convoitait le rapace, un pendentif doré, orné d'un cœur.

C'est le bijou de Catherine! Elle est sûrement ici, sinon comment son pendentif aurait-il pu se retrouver coincé là-dessous? Pourtant je ne vois aucune trace de pas dans le sable qui indiquerait sa présence. Tout cela est bien étrange. Pourvu qu'il ne lui soit rien arrivé.

Pressé de récupérer le précieux objet, Will saisit le tronc à bras-le-corps pour le faire rouler sur le côté afin de le libérer, mais rien ne se produisit. Il s'y reprit une seconde fois en déployant toute la force dont il était capable. Ses pieds s'enfoncèrent profondément dans le sable tandis que le gros arbre bougeait suffisamment pour qu'il puisse enfin récupérer le bijou.

Le mystérieux volatile, qui s'était à peine déplacé, observait toujours le nouveau venu. Il se mit soudain à glatir furieusement comme pour réclamer son dû.

— Déguerpis! lui cria Will en levant un poing menaçant.

Mais le charognard du ciel resta imperturbable. Du haut de son perchoir, il se contenta de fixer Will de son regard perçant, le bec entrouvert comme pour le mettre en garde. Puis soudain, le volatile émit une série de cris gutturaux qui, bientôt, se transformèrent en une voix rocailleuse qui jaillit du fond de son gosier.

— Hé, le costaud! Il est à moi le brillant! Rends-le-moi, immédiatement.

— Pour la dernière fois, fiche le camp ou tu auras affaire à moi! le menaça Will en brandissant son épée.

Aussitôt l'oiseau changea d'attitude. Une crête hérissée de pointes acérées jaillit tout autour de sa tête, il ouvrit un bec menaçant et déploya ses grandes ailes.

— Oh là, du calme! s'exclama-t-il, sur la défensive.

Puis, reprenant une position plus décontractée, le rapace, les yeux rivés sur l'épée de Will, plaida sa cause :

— Je ne faisais que réclamer mon dû. Par ici, depuis des lunes[1], on ne voit pas souvent des objets appartenant au monde des humains.

— Des lunes? fit Will, étonné.

Il nettoya le pendentif de Catherine en le frottant sur le revers de sa chemise et le rangea ensuite précieusement dans une de ses poches, suivi par le regard avide de la créature ailée.

— Voyons, l'ami, où crois-tu être?

— Je l'ignore. En principe je devais me retrouver dans la forêt d'Holdafgërg. J'ignore ce qui s'est produit en cours de route, mais ça ne devait pas se passer comme ça, grommela Will, aussi mécontent d'avoir dévié de sa trajectoire qu'inquiet d'avoir perdu la trace de Catherine.

— La forêt d'Holdafgërg! Oh là là, tu veux rire! J'ai bien peur de te décevoir car tu es bien loin du compte, étranger. Aucun marcheur comme toi n'a mis les pieds sur ce continent depuis des lustres[2], précisa le volatile tout en

---

1. Une lune : période d'environ un mois.
2. Un lustre : période d'environ cinq ans.

sortant machinalement une longue langue four-
chue pour saisir au vol, à la vitesse de l'éclair, un
insecte un peu trop aventureux.

Cette créature ne m'inspire pas confiance!

— Bah, parle tant que tu voudras, l'oiseau,
il doit bien y avoir un chemin qui conduit vers
mes amis, les Koudishs.

— Chemin, tu dis! Il n'y a aucun chemin qui
te mènera où tu veux aller. Je crains que, pour
toi, le voyage ne s'arrête ici, sur cette plage, renchérit l'oiseau avec un petit air narquois.

— C'est ce qu'on verra, espèce de « lézard
volant »! répondit Will, impatient de repartir.

— Comme tu voudras, étranger. Toutefois,
si tu as besoin d'un guide, je m'appelle Kroco,
pour te servir. Comme c'est évident que tu es
perdu, moi, Kroco, je te propose généreusement
un marché qui pourrait t'éviter de tomber entre
les mains de créatures dangereuses, comme les
Môglishs, par exemple.

— Cause toujours, lança Will. J'en ai vu
d'autres avant de te rencontrer, et ce n'est certes
pas ces Môdishs...

— Môglishs!

— Si tu veux. Ces Môglishs, ou autres créatures du genre, ne m'empêcheront pas de retrouver mes amis.

— Étranger, si tu consens à me donner cette épée, je te servirai de guide jusque par delà ces terres tant que tu n'auras pas trouvé ce que tu es venu chercher ici. C'est un marché honnête, non? négocia Kroco.

— Ton offre ne m'intéresse nullement, l'oiseau. Alors, cesse de m'importuner, sinon tu vas l'avoir ma lame, mais pas de la façon dont tu le souhaiterais, menaça Will, impatient de reprendre la route.

— Comme tu veux, étranger. En passant, je ne suis pas un lézard volant mais l'un des derniers représentants des Luzlors à crête.

Puis, avant de disparaître derrière la chaîne montagneuse qui bordait la plage, celui-ci décrivit un dernier cercle au-dessus de Will :

— En cas de besoin, siffle-moi. Je me ferai une joie de te guider.

Ouais, c'est ça! Bon débarras!

Après le départ du mystérieux Kroco, Will marcha un long moment sur le bord de la plage en direction du récif en forme de tête d'éléphant.

Une fois devant celui-ci, Will s'arrêta brusquement.

C'est étrange. Je jurerais avoir vu bouger ce rocher. Bof, c'est sans doute une illusion d'optique due au contrecoup du voyage...

Il tourna le dos au mastodonte de pierre et continua sa route. Voulant se repérer, il chercha un endroit où il pourrait grimper. Mais aucun ne se prêtait à l'escalade.

À ce moment, il entendit derrière lui un grand fracas et le sol trembla. En se retournant, il constata avec surprise que le monstrueux rocher en forme d'éléphant avait changé de position. La trompe du pachyderme de granit gisait maintenant sur le sable et un escalier taillé dans la pierre permettait d'accéder au sommet. Sans chercher à comprendre, Will s'empressa de gravir le providentiel promontoire.

Au sommet, il fut toutefois bien déçu du paysage. Ce n'était que plaines arides et chaînes montagneuses escarpées s'entrecroisant à perte de vue. Mais, derrière lui, la mer agitée qui se perdait à l'horizon ne lui laissait d'autre choix que de poursuivre ses recherches du côté des terres.

Qui pourrait survivre sur ces étendues de pierres inhospitalières?

5

Le poseur de pierres

Après une longue marche sous un ciel constamment bas et sombre, à travers des terres rocailleuses à la végétation rabougrie, Will arriva au bord d'une large crevasse qui semblait se perdre dans les entrailles de la terre. De chaque côté, elle s'étirait à l'infini. Déconcerté par la longueur et la largeur de la fissure, Will examina le décor alentour et analysa la situation.

Mais il dut se résigner à entreprendre l'interminable détour qui pourrait lui permettre de rejoindre le versant opposé. Un peu au hasard, il prit sur sa droite et commença à longer le précipice. Il avançait avec difficulté sur un sentier encombré de gros cailloux sans jamais voir la fin de l'impressionnante fissure qui le séparait de son objectif.

Hum, cet oiseau de malheur aurait-il raison? Ça ne semble déboucher nulle part...

Alors qu'il marchait, déconcerté, Will aperçut, au loin, la silhouette d'un homme accroupi sur le sol. Trop heureux de trouver enfin quelqu'un à qui demander sa route, il activa le pas dans sa direction.

Le mystérieux personnage, vêtu d'une vieille tunique rapiécée, lui tournait le dos. Agenouillé sur le sol, il semblait occupé à retourner des pierres.

Comme c'est étrange, le Luzlor à crête m'a pourtant affirmé qu'il n'avait pas vu d'hommes depuis bien des lustres.

— Euh, pardon monsieur, c'est que... j'aurais un renseignement à vous demander, bafouilla Will, pas très rassuré par ce personnage dont il n'arrivait pas à voir le visage.

Mais le poseur de pierres ne lui accorda aucune attention. Il semblait affairé à tailler des pierres puis à les imbriquer de manière à former la base d'un petit sentier qui serpentait jusqu'à une sépulture des plus insolites. Celle-ci, dont la structure rocheuse habilement érigée revêtait la forme d'un humanoïde, semblait sur le point de prendre vie.

Will réitéra sa question sans plus de succès que la première fois. Alors qu'il se tournait pour examiner de plus près la sépulture, une voix caverneuse le fit sursauter. Celle-ci semblait provenir de tous les côtés à la fois, ainsi que des profondeurs du précipice où l'écho se répercutait en cascade.

— Où te diriiiiiges-tu ainsiiiii?

— Eh bien, je dois absolument franchir cette crevasse. Il est primordial que je rejoigne mes amis – des Koudishs du clan de Kiröd – qui habitent la forêt d'Holdafgërg.

— Si tu persistes à vouloir franchir le Mognânnn... tu ne trouveras sur ta route que mooooort et désespoooooir, prévint l'énigmatique personnage en se retournant.

— Mais... vous n'avez pas de visage! s'écria Will, stupéfait.

Au même moment, il eut l'intime conviction que la solution à tous ses problèmes se trouvait justement de l'autre côté du fameux Mognân.

— J'ai le visaaaaage qu'on veut bien me donner, rétorqua le personnage. Alors pour toi, qui suiiiiis-je?

— Vous êtes le passeur du Mognân! répondit Will spontanément.

— Si telle est ta croyance, alors qu'il en soit ainsiiiiiiiiiiii!

Aussitôt, le faciès ridé d'un vieillard au regard transcendant apparut sous le capuchon poussiéreux.

Après avoir fixé un court instant son jeune vis-à-vis, comme s'il voulait sonder son cœur, le poseur de pierres s'approcha de la crevasse, si près que la plante de ses pieds ne reposait plus sur le sol. L'homme tendit alors les bras au-dessus du vide puis, rapprochant les deux pierres qu'il tenait dans ses mains, il les frappa l'une contre l'autre.

Sous l'impact elles se fracassèrent en une multitude de petits morceaux qui demeurèrent en apesanteur. Chaque parcelle fut entourée d'un fin nuage de poussière lumineux duquel jaillit une myriade d'étincelles multicolores. Puis, les éclats de pierres en suspension grossirent jusqu'à devenir de nouvelles pierres qui, en s'imbriquant les unes aux autres, formèrent une passerelle. En quelques instants, le pont improvisé rejoignit l'autre versant du Mognân pour finalement s'y ancrer.

Will était sans voix.

— Un conseil, Will Ghündee, passe ton chemin sans t'attarder et prends garde à ce qui t'attends de l'autre côté du Mognâââân, conseilla le mystérieux personnage dont le visage s'effaça au moment même où il se retourna. Il disparut ensuite après avoir fait quelques pas.

— D'accord! Et merci, poseur de pierres!

Après sa disparition, Will douta un court instant, en se demandant si cette aide providentielle ne cachait pas un piège. Cependant, le pont qui s'offrait à lui était bel et bien réel et c'était la seule possibilité de rejoindre l'autre côté. Il refoula donc ses craintes et entreprit la traversée du Mognân.

Alors qu'il ne lui restait plus que quelques pas à faire sur cette passerelle improvisée, des pleurs de détresse en provenance du gouffre, sous ses pieds, l'interpellèrent. Par curiosité, Will se pencha légèrement au-dessus du parapet pour sonder les profondeurs et découvrir la provenance de ces plaintes déchirantes.

C'est là qu'il aperçut, en contrebas, sur une des parois, ce qui lui sembla être de jeunes enfants enchaînés qui se débattaient pour se libérer de leurs entraves. Will leur tendit spontanément les bras. Geste qu'il regretta aussitôt car le temps alloué étant écoulé, le charme se rompit et la passerelle disparut sous ses pieds. Sans appui solide, Will tomba en chute libre.

Durant sa descente, le temps d'une fraction de seconde, il vit ceux qu'il croyait être des enfants, se transformer en ombres noires puis glisser rapidement le long du mur, comme pour suivre sa chute.

Grondant comme le tonnerre, une voix immatérielle que Will reconnut aussitôt se manifesta :

— Je t'avais dit de ne pas t'attaaaaarder...

— Aide-moi, poseur de pierres! Je te promets que dorénavant je suivrai tes conseils à la lettre!

Mais, la voix d'outre-tombe s'était tue et Will continua de filer tout droit vers les profondeurs de la terre. Sa chute fut si vertigineuse qu'il perdit conscience avant même de toucher le fond du gouffre.

☽ ✩ ☾

Lorsque Will rouvrit les yeux, un silence glacial régnait autour de lui. Une sensation de bien-être et d'apesanteur l'envahit comme s'il flottait, bercé doucement entre ciel et terre.

Suis-je au royaume des morts?

Graduellement, ses yeux s'habituèrent à la pénombre et grâce au peu de clarté provenant des hauteurs, il put voir les mystérieuses ombres noires, aperçues plus tôt, qui se mouvaient sur les parois rocheuses. Will réalisa alors qu'il était bien vivant et qu'il se trouvait dans ce que le poseur de pierres avait appelé le Mognân.

Comment ai-je pu survivre à une telle chute?

La réponse à son interrogation lui parvint presque au même moment. De longs bras tentaculaires, rattachés à la paroi au-dessus de lui, se retiraient les uns après les autres dans le roc. Lorsqu'ils arrivaient en bout de course apparaissait sur la muraille une petite fleur en forme d'araignée de couleur mauve vif tachetée de blanc. Quant aux tentacules qui soutenaient Will, ils le déposèrent doucement sur le sol puis se retirèrent eux aussi dans la paroi.

Ouf, quel plongeon! Mais comment vais-je sortir d'ici, maintenant?

Will tentait d'escalader les murs de pierre de chaque côté jusqu'à ce qu'une voix spectrale, émanant de ceux-ci, se fasse entendre :

— À moins de posséder une foi inébranlable, il est inutile de chercher à fuir le Mognân...

Will s'arrêta brusquement et chercha dans la pénombre à distinguer son interlocuteur. C'est alors qu'il aperçut de nouveau des ombres insolites qui parcouraient la surface rocheuse en s'entrecroisant.

— Qui êtes-vous et que me voulez-vous? demanda Will en sortant prudemment son arme.

Sitôt hors du fourreau, la lame de l'épée se mit à briller d'une douce luminosité blanchâtre.

Mais… comment est-ce possible?

Sous ce nouvel éclairage, Will vit des faciès difformes et vaporeux se former à partir des ombres noires qui se mouvaient en épousant les moindres détails de la paroi. Pour se protéger de ceux-ci, il recula lentement, l'arme au poing.

L'une d'entre elles lui adressa la parole :

— Nous sommes ceux qui ont combattu pour eux...

— Mais, de qui parlez-vous? rétorqua Will, méfiant.

— Nous sommes ceux qui ont combattu afin qu'ils recouvrent la liberté, répéta le visage de brume qui se déformait et se reformait dans un mouvement perpétuel.

Alors qu'il s'approchait du sombre faciès, Will vit les pierres de son épée scintiller doucement. Puis, de celles-ci, jaillirent des rais lumineux d'un bleu apaisant qui illuminèrent la paroi où se trouvaient les visages vaporeux.

Mais comment cette modeste épée, forgée de ma main, peut-elle avoir le pouvoir de briller ainsi?

Tout à coup, l'une des ombres s'immobilisa lorsqu'elle fut atteinte par un rayon projeté par l'épée. Elle sembla se densifier et prendre une tout autre forme, beaucoup plus avenante celle-là. Au bout de quelques instants, les autres spectres revêtirent à leur tour une forme physique semi-transparente qui fit dire à Will :

— Mais, que le Grand Esprit me rappelle à lui immédiatement si vous n'êtes pas des Koudishs!

— Tu as raison, étranger. Nous sommes des Zoviats, gardiens de la sagesse ancestrale liée à la magie koudish. Nous avons combattu et péri afin que nos frères bien-aimés puissent s'échapper de ce continent maudit.

— Vous parlez du continent oublié du Guibök? lança Will, se rappelant tout à coup la dernière visite de Markus et Yolek à la forge[1].

---

1. Voir *Le monde parallèle*, coll. Will Ghündee tome I, Éditions Michel Quintin.

— Alors, c'est ainsi que nos frères rescapés ont surnommé cet endroit? Nous ont-ils également oubliés? demanda d'une voix triste l'un des spectres zoviat.

— Eh bien, je l'ignore. Cependant, Kiröd le vénérable, chef actuel du clan des Koudishs de la forêt d'Holdafgërg, a toujours en sa possession une pierre précieuse très puissante qui proviendrait de ce continent. Ils la surnomment la pierre ancestrale du Guibök. Pour le reste, j'ignore tout de ces lieux, à part peut-être que leurs défunts ancêtres y pratiquaient une magie beaucoup plus puissante que la leur et qui causa leur perte.

— Tu n'es pas loin de la vérité, étranger. Des événements tragiques se sont produits ici à cause de la folie de certains de nos frères savants. Aveuglés par une soif démesurée de pouvoir, ils ont mélangé magie blanche et magie noire, créant ainsi Le « Bizantium », un redoutable minerai aux pouvoirs incontrôlables. Hélas, ce dernier a éliminé presque toute vie sur le Guibök, une terre jadis prospère et accueillante.

« Nous, Zoviats, avons tout fait pour ramener nos frères égarés à la raison, en les incitant à cesser leurs dangereuses manipulations. Mais, hélas, croyant avoir créé un élément générateur de vie éternelle, le Bizantium devint entre les mains de ces apprentis sorciers une arme redoutable. Car même fractionné à l'infini, ce minerai conservait une partie de ses grands pouvoirs. »

La pierre du Guibök des Koudishs serait donc une parcelle domestiquée du fameux Bizantium.

— Comme celui de voyager d'un monde à un autre? hasarda Will.

— Oui, entre autres. Cependant, sa puissance est telle qu'une quantité déterminée de ce minerai suffirait, par ses radiations, à altérer irrémédiablement, voire à annihiler, une planète entière.

« C'est pour cette raison que les plus sages ont voulu fuir ce continent après la disparition inexpliquée d'un grand nombre de personnes. Elles auront sans doute été englouties par différents éléments de notre environnement, devenu soudain hostile à cause des radiations néfastes du Bizantium. »

Voilà pourquoi les ancêtres de Kiröd ont fui le Guibök.

— Sage fut leur décision qui leur épargna, ainsi qu'à leur progéniture, une fin atroce. Cependant, certains de nos frères ne virent pas cet exil d'un bon œil. Ce qui déclencha une guerre intestine. Bien sûr, ceux qui détenaient ne serait-ce qu'une parcelle du redoutable minerai virent leurs pouvoirs s'accroître considérablement. Croyant ainsi créer une race supérieure, ils exterminèrent ceux qui n'avaient pour seule arme que la sage magie koudish transmise par nos ancêtres ou les jetèrent dans les entrailles du Mognân, malgré leur résistance.

« Quant à nous, Zoviats, gardiens et maîtres détenteurs des plus grands pouvoirs liés à la magie koudish, nous avons délibérément décidé de nous sacrifier pour sauver quelques-uns d'entre nous. Nous avons donc uni nos forces afin de créer un écran de lumière qui permit à certains de nos frères d'échapper au redoutable Emlish. Jadis surnommé " le grand sage ", ce chef vénéré avait semble-t-il perdu la raison et entraîné dans sa quête folle de nombreux disciples. Grâce au ciel, notre sacrifice évita l'extermination complète de la race koudish.

« C'est alors que ce continent se transforma en un gigantesque cimetière. La nature, irrémédiablement bouleversée, eut finalement raison de tous ceux qui, plutôt que de fuir, demeurèrent ici. Enfin presque tous car certains des suppôts d'Emlish qui avaient déserté son clan ont survécu et sont devenus des Môglishs. Ces féroces mutants se seraient adaptés à l'environnement hostile en conservant quelques-uns de leurs pouvoirs, ce qui les rendrait éminemment redoutables », conclut le Zoviat.

— Tout cela est bien triste, compatit Will.

— Mais toi étranger, comment connais-tu nos frères rescapés? Et d'où tiens-tu cette épée imprégnée des pouvoirs de notre magie ancestrale?

C'est donc pour cela qu'elle brille ainsi en leur présence!

— Cette arme que j'ai forgée de mes mains n'est qu'une réplique bien imparfaite de l'originale, surnommée l'épée du Grand Esprit par vos frères Koudishs. Une arme divine aux pouvoirs surnaturels, précisa Will.

Il leur raconta ensuite comment Markus et Yolek avaient, lors de leur visite à la forge, garni de pierres précieuses son épée et l'avait magnétisée.

— Tu ignorais donc qu'au moment de magnétiser ton épée, ils lui avaient transmis certains pouvoirs?

— Je pensais qu'ils voulaient seulement la rendre le plus semblable possible à l'originale.

— Maintenant que tu connais la vérité au sujet de ces terres maudites nous te recommandons la plus grande prudence. Si tu arrives à sortir d'ici, n'hésite pas à te servir de cette arme sacrée contre les forces obscures qui ne manqueront pas de se dresser sur ta route. Qui sait… si ton cœur est aussi pur que je le soupçonne, elle pourrait même t'aider à retrouver ton chemin et à accomplir la tâche qui te tient tant à cœur, conclut le Zoviat dont le visage s'estompa graduellement, imité bientôt par ses semblables.

— Attendez, ne partez pas! Comment puis-je sortir d'ici?

La voix spectrale du Zoviat résonna une dernière fois :

— La réponse à cette énigme réside dans ta foi en toi. Mais tu dois te méfier des illusions car elles sont trompeuses. Cherche la vérité, elle coule au-delà du visiiiiiiible…

Lorsque les derniers échos de la voix se furent estompés, Will se retrouva dans la pénombre, son épée ayant cessé de diffuser sa lumière à l'instant même où le dernier Zoviat avait disparu.

6
Dans les entrailles du Guibök

Malgré l'obscurité, Will cherchait comment il pourrait échapper aux murs du Mognân qui l'emprisonnaient. En scrutant minutieusement les parois, il décela, à un certain endroit, des traces d'humidité. Il n'en fallut pas plus pour éveiller sa curiosité. Il plaqua alors son oreille contre la paroi et écouta attentivement.

Comme c'est étrange! J'ai la nette impression que de l'eau circule de l'autre côté.

Perdu dans ses pensées, il fixa intensément la cloison de roc, tout en ressassant les dernières paroles du Zoviat. Soudain, ce fut l'illumination.

Mais bien sûr! Ça ne peut être que cela! Le Zoviat avait raison. La réponse « coulait » au-delà du visible.

Avec dans la tête la conviction que Catherine était toujours vivante et qu'il allait la retrouver s'il sortait de cette impasse, Will recula de quelques pas tout en continuant de fixer la paroi qu'il venait d'examiner. Guidé par la foi et le fol espoir d'échapper au Mognân, il s'élança en direction du mur. Tel un plongeur s'apprêtant à fendre l'eau, Will joignit les mains et se projeta contre la surface solide.

Au moment où ses poings percutèrent la cloison de pierre, celle-ci se déforma comme une membrane de caoutchouc puis se mit à tournoyer en formant une spirale. Will fut alors absorbé au sein de ce tourbillon. Sous l'impact, son corps se tordit et s'intégra au reste de la paroi. L'espace d'une fraction de seconde, il craignit d'avoir fait le mauvais choix.

Mais il se retrouva aussitôt de l'autre côté de la paroi qui s'était liquéfiée sur son passage. Prisonnier à présent des eaux souterraines dont il avait deviné l'existence, Will se débattait avec l'énergie du désespoir. Emporté par les flots agités d'un véritable fleuve souterrain, il tourbillonnait en essayant tant bien que mal de garder la tête hors de l'eau. Violemment plaqué contre les parois, c'est le corps couvert d'ecchymoses qu'il passa à vive allure à travers les couloirs souterrains qui serpentaient dans les entrailles du Guibök. Après quelques culbutes supplémentaires, il fut finalement poussé avec force vers un passage ascendant d'où il émergea lentement.

Trempé jusqu'aux os, Will reprit pied au milieu d'une grotte sommairement éclairée par un puits de lumière situé à quelques pas de lui. Le petit bassin dans lequel il avait refait surface semblait avoir été préservé des effets néfastes du Bizantium car il était couvert de curieux nénuphars. Ces plantes, en forme d'étoile, arboraient une fleur noire à la texture veloutée. En leur centre brillait un gros pédoncule vert fluorescent doté vraisemblablement de la capacité d'emmagasiner le peu de clarté disponible afin d'assurer leur survie.

Lorsqu'il fut remis de ses émotions, Will se dirigea vers la source lumineuse. Puis, il escalada sans difficulté le puits naturel qui faisait, tout au plus, une fois et demie sa taille. Il se retrouva, sans trop de surprise, au milieu d'une vaste étendue aride. Mais, contrairement à ce qu'il avait vu auparavant, l'endroit était encombré de rochers de toutes grosseurs, comme s'ils avaient été projetés là par une violente explosion.

Toujours à la recherche d'un indice pouvant le conduire à Catherine, Will reprit la route. Mais, à peine avait-il fait une centaine de pas que le ciel commença à gronder. Des éclairs zigzaguèrent autour de lui, l'obligeant même à stopper sa progression.

Puis, tout à coup, surgissant du sol derrière lui, un éclair, le plus gros que Will ait jamais vu, grimpa jusqu'aux cieux dans un effroyable grondement et retomba sur le sol à quelques pas de Will qui en ressentit l'intense chaleur. Aussitôt après, la terre se mit à trembler sous ses pieds.

Que se passe-t-il encore?

Soudain, loin derrière lui, une large brèche s'ouvrit dans le sol avec fracas et courut vers lui. Will prit ses jambes à son cou, talonné par la crevasse qui, telle une bouche monstrueuse, avalait tout sur son passage.

Malgré sa fougue et sa vitesse et, peu importe la direction prise, Will fut vite rattrapé et gobé par l'indescriptible chaos. Dans sa chute, il parvint toutefois à s'accrocher à la paroi irrégulière, mais les fortes vibrations l'obligèrent à lâcher prise et il tomba de nouveau.

Il échappa à l'écrasement fatal quand sa descente fut interrompue, quelques pieds plus bas, par un petit parapet qui dépassait de la muraille. Sous le choc, il ressentit une douleur aiguë au niveau de sa cheville gauche. Coincé dans les entrailles du continent oublié, pour une deuxième fois en peu de temps, isolé et blessé de surcroît, Will se sentit soudain totalement démuni.

Fichu endroit de malheur! C'est à croire que la nature elle-même s'est liguée contre moi.

À cet instant, la pierre de la déesse Aurora, qui pendait toujours à son cou, se mit à briller faiblement. Silencieux depuis son arrivée sur le continent oublié, le bijou émit alors une légère vibration qui eut sur Will un effet apaisant.

Comme pour la remercier, Will toucha sa pierre et se retrouva transporté en pensée à l'époque de son enfance heureuse.

☽ ✩ ☾

Peu de temps avant l'incendie tragique qui lui ravit ses parents, alors qu'il n'avait que quatre ans et demi, Will se revit en train de jouer dans l'escalier que son père réparait, quand son pied se coinça entre deux barreaux. Incapable de le libérer, il fut pris de panique et se mit à pleurer en espérant que son père vole à son secours.

Avec nostalgie, il vit ce dernier poser sur sa tête une main rassurante, tout en lui prodiguant ses conseils. Herman Ghündee avait pour principe d'encourager ses enfants à ne pas céder à la peur ou au découragement devant l'épreuve, quoi qu'il arrive.

Ce jour-là, il enseigna à son fils à réfléchir calmement au lieu de paniquer.

— Courage, mon garçon. Tout problème a sa solution pour qui veut s'en sortir! Réfléchis bien et tu trouveras.

Will se revit alors tourner lentement son petit pied dans tous les sens et parvenir à le libérer. Il lança ensuite un regard fier en direction de son père qui salua sa détermination d'un clignement d'œil approbateur.

☽ ☆ ☾

Encouragé par cette vision et stimulé par les précieux conseils de son père, Will refusa d'abandonner et de se laisser mourir sur ce rocher. Il se ressaisit, animé d'une détermination nouvelle, déchira le bas de sa chemise et banda sa cheville foulée. Après quoi, malgré la douleur lancinante, il commença lentement l'escalade de la paroi.

Alors qu'il allait enfin atteindre son but, à quelques pieds de la surface, de nouvelles secousses vinrent ébranler la structure rocheuse. Il perdit pied, mais réussit à s'agripper des deux mains à une saillie du roc, pour ne pas retomber dans l'abîme. C'était comme si les entrailles du Guibök refusaient de le libérer de leur étreinte de pierre. Sous l'effet des tremblements répétés, les deux bords de la crevasse commencèrent à se rapprocher lentement, laissant craindre le pire.

La violence des secousses était telle que Will, blessé, épuisé et toujours suspendu par les mains, ne put que se rendre à l'évidence : la nature altérée par le Bizantium, devenue implacable, se liguait contre lui.

Voyant qu'il ne pourrait en réchapper, il jeta un regard résigné vers le fond du gouffre qui semblait l'appeler inexorablement. Ses dernières forces l'abandonnant, Will sentit les doigts de sa main gauche céder un à un et commencer à glisser de leur point d'appui, lorsqu'une main douce l'attrapa par le bras.

Will savait que c'était la main de sa mère bien-aimée qui venait le chercher pour l'amener avec elle au paradis, comme elle le lui avait promis jadis. Levant alors les yeux au ciel pour revoir son doux visage, il s'écria :

— Mam… Catherine!

Stimulé par cette vision inespérée et ce bras secourable, Will puisa en lui-même suffisamment d'énergie pour s'accrocher de nouveau avec ses deux mains.

— Tiens bon, Will! supplia Catherine. Je ne te lâcherai pas, mais tu dois t'aider car je ne pourrai pas te tenir très longtemps. Tu es très lourd et je glisse!

La présence de son amie, qu'il croyait perdue par sa faute, redonna à Will une force nouvelle. Il réussit à reprendre pied et, avec l'aide de Catherine, à se hisser jusque sur la terre ferme. La courageuse jeune fille s'était portée au secours de son compagnon en le voyant disparaître dans le sol alors qu'elle se trouvait au sommet d'un monticule, non loin de là, cherchant désespérément à se repérer.

Dès que Will était sorti de la crevasse, la tempête d'éclairs et les tremblements de terre s'étaient calmés progressivement.

— Catherine, tu ne peux imaginer à quel point je suis heureux de te voir! exulta Will, le souffle court. Tu sais que tu viens de me sauver la vie?

Sous le coup de l'émotion il serra dans ses bras sa compagne retrouvée puis la souleva de terre.

— Euh… moi aussi, je suis très heureuse de te retrouver enfin! fit Catherine un peu surprise par cette marque d'affection inhabituelle de la part de Will.

Conscient du léger trouble que son enthousiasme avait suscité chez son amie, Will desserra
son étreinte, gêné lui aussi de ce premier contact
intime.

— Où étais-tu? J'étais mort d'inquiétude pour
toi, avoua Will, les joues en feu en détournant
les yeux.

— Eh bien, quand je me suis réveillée, j'étais
allongée au beau milieu d'une vaste étendue
désertique, les yeux pleins d'une étrange substance. Voulant te retrouver, je me suis mise à
marcher en criant ton nom aux quatre vents dans
l'espoir que tu me répondes. Puis, ne sachant où
aller, j'ai erré un certain temps avant de faire une
drôle de rencontre : un oiseau, plutôt sympa-
thique, doté de la parole.

« Après m'être renseignée à ton sujet, ce dernier m'a assurée t'avoir aperçu sur les rives de la
mer d'Okval et m'a même offert son aide afin de
me guider vers toi. Je l'ai donc suivi et me voilà.
Il ne doit d'ailleurs pas être loin car il me suit
depuis un bon moment déjà. Tiens, fit Catherine
en pointant le ciel vide au-dessus d'elle. Ah! Il
n'est plus là! Comme c'est bizarre! C'est dom-
mage, il semblait gentil…

Ça ne peut être que Kroco, le Luzlor à crête. Il aura
eu peur de moi.

— Ce n'est pas grave. Tout ce qui compte c'est que tu sois là et que nous nous soyons retrouvés sains et saufs!

Will tendit sa main droite grande ouverte vers Catherine.

— Mon pendentif! Où l'as-tu trouvé? s'étonna-t-elle. Je croyais l'avoir perdu à tout jamais. C'est un souvenir que m'a légué ma grand-mère maternelle. J'y tiens beaucoup! Merci Will!

— Tu n'imagineras jamais où je l'ai retrouvé!

— Je n'en ai aucune idée!

— Sur la plage. Il était échoué là, coincé sous un arbre énorme. Celui-là même dans lequel nous avons transité entre les deux univers.

Après avoir caressé le petit cœur doré, Catherine rangea précautionneusement son pendentif.

— Je croyais que tu aurais pu m'expliquer comment les choses s'étaient passées. Je vois que tu n'en sais pas plus que moi, conclut Will.

— Je ne me souviens, hélas, de rien après cette explosion de lumière qui nous a séparés.

Après un léger massage à la cheville de Will, Catherine lui refit son pansement.

— Merci de tes bons soins. Essayons maintenant de retrouver le chemin qui nous conduira au village de mes amis les Koudishs, avant qu'il ne soit trop tard, suggéra Will.

7

Le vallon aux pierres volantes

Un peu plus tard, craignant de se retrouver à découvert avant la tombée de la nuit, les deux compères s'arrêtèrent en haut d'une côte, le temps d'examiner les lieux en contrebas.

— Dis donc, Will! Tu as vu ça! s'exclama Catherine, frappée par un curieux spectacle.

En effet, au fond d'une petite vallée rocailleuse, une multitude de gros cailloux tourbillonnaient lentement entre ciel et terre.

Telles des feuilles, captives d'un courant d'air, les grosses pierres semblaient animées d'une force propre qui les maintenait en apesanteur.

Dans une danse infinie, elles s'entrecroisaient sans jamais se heurter.

Décidément, tout va de travers sur ce continent.

— Cet endroit ne me dit rien qui vaille. Contournons la vallée et continuons en direction de cette chaîne montagneuse là-bas, suggéra Will. Peut-être y trouverons-nous de quoi manger et un endroit pour passer la nuit. Je pourrai faire reposer ma cheville blessée.

Mais Will n'avait pas terminé sa phrase qu'un courant d'air nauséabond, chargé d'humidité, vint leur glacer les os. Le ciel qui charriait de gros nuages noirs se mit à gronder. Voulant s'éloigner du phénomène, Will et Catherine se remirent promptement en route, luttant contre le vent afin de contourner le vallon aux pierres volantes. Mais, après quelques pas, le sol se mit à dégager autour d'eux une épaisse brume grisâtre. En peu de temps ils furent entourés d'un mur de brouillard qui les isola complètement du reste du monde.

— Will, regarde! s'écria Catherine devant les nombreuses formes humanoïdes qui se dessinaient à même la brume opaque.

— Ça n'a rien de rassurant. Restons bien ensemble.

Resserrant sa prise sur son épée dont la lame brillait doucement, Will tenta d'obliquer vers la droite. C'est alors que surgirent devant eux, s'extirpant du brouillard, des colosses vaporeux faisant deux fois leur taille. Ils avançaient lentement, en flottant au ras du sol. Lorsqu'ils furent à quelques pas, les surplombant presque, l'un d'eux s'adressa à Will, d'un air menaçant. Sa voix forte résonna étrangement, rivant sur place ses interlocuteurs.

— À qui croyez-vous échapper ainsiiiii! Personne n'a jamais quitté le Guiböööök vivant! Nous sooooommes les geôliers et maîtreeeees de ces éléments. Jusqu'ici vous avez survécuuuuu…

— Que nous voulez-vous? coupa Will en se plaçant devant Catherine

— Votre chance a tourné. Voici venue la fin de votre voyaaaaaage, menaça le plus imposant d'entre eux en leur barrant la route.

Ayant resserré leurs rangs, les sinistres personnages projetèrent vers leurs proies de grosses boules de fumée grisâtre. Aussitôt, Catherine se mit à tituber, alors que, curieusement, Will restait bien ferme sur ses jambes.

— Will! Je ne me sens pas bien…

Assommée comme par un puissant soporifique, Catherine se laissa choir dans les bras de Will qui la déposa doucement au sol en s'écriant, furieux :

— Que lui avez-vous fait?

Mais, en guise de réponse, les hommes-brouillards accélérèrent leur approche menaçante comme s'ils recherchaient l'affrontement. Une fois tout près de Will, la même voix caverneuse résonna :

— Prépare-toi à mouriiiiir, garçon de lumière! Personne ne survit aux supplices des Drôôôômes!

Mais Will, bien décidé à leur tenir tête, demeura debout, son arme au poing.

— Avancez et vous allez voir ce dont je suis capable!

Persuadé de pouvoir vaincre ces mystérieux adversaires par sa seule volonté et son épée imprégnée des pouvoirs koudishs, Will se prépara à l'assaut.

Les hommes-brouillards fondirent sur lui, tous à la fois. Will constata alors que, contrairement à ce qu'il avait cru, ses ennemis, non seulement ne passèrent pas à travers son corps, mais lui infligèrent un choc terrible, semblable à celui d'un troupeau de buffles lancé à pleine vitesse. Projeté dans les airs, il alla s'écraser lourdement au sol, à quelques pas de là. Son arme lui glissa des mains et tomba un peu plus loin.

Complètement sonné par la force de l'impact de ces titans immatériels, Will chercha à se relever, mais il en fut incapable. Ses membres étaient paralysés par une force qui enserrait tout son corps et, malgré toute l'énergie qu'il déploya pour se libérer, il n'y parvint pas. Puis, graduellement, l'étreinte se resserrant, il commença à étouffer peu à peu. Lorsqu'il ferma les yeux, Will eut une vision rapide. Il vit Gaël qui, de ses deux bras tendus, pointait d'un côté un nuage de pluie et de l'autre son torse. L'image disparut aussitôt.

Il sentit naître en lui une force insoupçonnée. Alors, au prix d'un gros effort de concentration, il puisa à même les racines de celle-ci. Durant un instant, il revécut le moment précis où il s'était retrouvé dans la chrysalide dont l'avait entouré le Grand Esprit, au terme de leur victoire sur Malgor[1]. Au même moment, Will sentit cette force l'habiter totalement, provoquant chez lui une montée d'adrénaline incontrôlable. Il ouvrit ses yeux, qui brillaient maintenant comme deux faisceaux incandescents à travers la nuée, et les

---

1. Voir *Le monde parallèle*, coll. Will Ghündee tome I, Éditions Michel Quintin.

Drômes qui s'acharnaient sur lui virent avec stupeur, s'échappant de sa poitrine, une flamboyante lueur rouge.

Avant qu'ils aient pu réaliser ce qui leur arrivait, les hommes-brouillards, dans un concert de plaintes macabres, furent volatilisés par le puissant rayon. Dispersés aux quatre vents en millions de petites gouttelettes de pluie, ils retombèrent doucement sur le sol.

Will, complètement trempé par cette soudaine averse, sentit la mystérieuse force s'apaiser en lui. Lentement son corps reprit son aspect normal. Soulagé, il se releva en titubant avant de retrouver peu à peu son aplomb.

Il avait entrevu, durant un court instant, toute l'étendue des impressionnants pouvoirs dont l'avait doté le Grand Esprit. Il lui restait, bien sûr, à les apprivoiser.

Merci Gaël pour le coup de main.

Complètement remis du choc, il ramassa son épée couverte de givre et se précipita au chevet de sa compagne.

— Catherine! Réveille-toi! Tout est fini! lui murmura-t-il à l'oreille en lui tapotant doucement les joues.

Mais la jeune femme demeura inconsciente. Rassuré cependant par les battements réguliers de son cœur, Will décida que, malgré la douleur à sa cheville, il serait plus sage de quitter au plus vite ce secteur un peu trop mouvementé. Il souleva doucement celle qui devenait de plus en plus précieuse à ses yeux et l'installa confortablement sur son dos.

Il prit soin de contourner la vallée aux pierres volantes et continua sa route jusqu'au pied de la chaîne de montagnes aperçue plus tôt.

Lorsque l'objectif fut atteint, Will déposa avec précaution Catherine dans l'herbe, afin de soulager sa cheville blessée. Il l'assit ensuite contre une petite butte, sur le flanc de la montagne, d'où elle sortit d'ailleurs quelques instants plus tard de son sommeil artificiel.

— Will, où sommes-nous? Les monstres de brouillard sont-ils partis? demanda-t-elle inquiète.

— Oui, Catherine. Ils ont fui, grâce à l'épée.

— Mais qu'est-il arrivé à ta chemise, Will? On dirait qu'elle a été brûlée sur le devant de ta poitrine, juste à la place du cœur.

— Ah, ça? Ce n'est rien! Regarde, la peau est intacte.

Afin de ménager sa compagne, qu'il sentait ébranlée par les récents événements, Will préféra taire son expérience avec les Drômes. Cherchant à détourner la conversation, il reprit :

— Bon, qu'est-ce que tu dirais si nous tentions de trouver un abri pour la nuit?

Catherine acquiesça d'un hochement de tête puis, saisissant la main tendue de son compagnon, elle se releva et lui emboîta le pas, trop heureuse de se retrouver saine et sauve, en sa compagnie.

Will, qui en était à sa troisième incursion dans un monde parallèle, agissait presque par automatisme, en suivant les trois grandes règles de base : trouver un refuge, de quoi se nourrir et assurer sa sécurité.

Mais aujourd'hui, quelque chose avait changé pour lui et tranchait sur tout ce qu'il avait vécu auparavant : la présence de Catherine, pour qui il éprouvait des sentiments qu'il ne maîtrisait pas. Will se sentait responsable. Pour la première fois de sa vie, il devait penser à cet être cher avant même d'assurer sa propre survie, et il savait que ce continent hostile ne lui ferait pas de cadeaux. Il fallait maintenant tout prévoir pour deux.

Catherine, cependant, allait bientôt le sur-
prendre par sa ténacité et sa débrouillardise.

☽ ✩ ☾

— Will! Par ici! Je crois que j'ai trouvé quelque
chose.

Celui-ci, qui était occupé à inspecter les flancs
de la montagne, entendit l'appel de sa compagne
qui cherchait de son côté, elle aussi. Il rebroussa
chemin et lorsqu'il aperçut Catherine qui se
tenait devant l'entrée d'une grotte à demi obs-
truée par de gros rochers, prête à s'engouffrer
dans le couloir obscur, il lui cria de loin :

— Attends, Catherine! Attends!

Une fois sur place, Will incita son amie à rester sur ses gardes en tout temps. Il lui raconta
ses rencontres avec le poseur de pierres et les
Zoviats dans les entrailles du Mognân.

— Tu vois pourquoi nous devons nous méfier
de ces lieux dont nous ignorons tout.

— Je comprends ta méfiance, Will. Cependant,
nous ne pouvons tout de même pas demeurer
ici à attendre la tombée de la nuit. Tu constates
comme moi qu'il n'y a ni nourriture ni source
d'eau aux abords de cette montagne. Quant à
la gravir, ce n'est pas une bonne idée avec ta

cheville blessée. Ceci étant, je suggère que nous tentions notre chance. Entrons là pour y passer la nuit. Qui sait? Peut-être trouverons-nous quelque chose d'intéressant.

Will, qui n'était pas très enthousiaste à l'idée de se retrouver sous terre une fois de plus, passa outre à sa méfiance et s'engouffra dans la grotte le premier, l'épée au poing.

8

Une étonnante découverte

Talonné par une Catherine pressée d'explorer le site qu'elle venait de découvrir, Will longeait lentement les parois de roc.

— Fais attention, Catherine. Au moindre signe de danger on se regroupe, conseilla Will.

— Will, ton épée! Elle brille! s'écria Catherine en voyant la lueur blanche, qui venait d'apparaître sur la lame, s'intensifier à mesure que l'obscurité devenait plus dense.

— Oui, elle recèle certains pouvoirs propres à la magie koudish dont j'ignorais l'existence jusqu'à ma rencontre avec les Zoviats, révéla Will en scrutant tout autour de lui.

Ils atteignirent rapidement le fond de la grotte qui allait en s'élargissant. Sur un des murs étaient gravés une série d'inscriptions et de symboles bizarres. L'un d'eux retint l'attention de Catherine.

— Regarde ce symbole. On dirait celui qui orne ta couverture magique. Qu'est-ce que tu en dis? interrogea-t-elle en effleurant le mur du bout des doigts.

La ressemblance avec l'emblème du peuple koudish laissa Will perplexe. Alors qu'il fixait le pan de roc aux inscriptions, une idée farfelue lui traversa l'esprit. Il plaqua son épée sur la paroi. Les lettres s'animèrent soudain. Mues par une force invisible, les inscriptions commencèrent à bouger puis disparurent complètement, pour finalement réapparaître dans un ordre différent, tandis que l'emblème koudish, qu'ils avaient remarqué, irradiait une lueur bleue apaisante.

Étonnée par le phénomène et n'en comprenant toujours pas la signification, Catherine demanda à Will s'il avait une idée de ce que c'était :

— Je n'en suis pas certain mais, à mon avis, c'est de l'ancien koudish. Une chose est sûre, je n'ai jamais vu pareille écriture, pas même dans le village de Markus.

Alors qu'il regardait intensément les symboles sur le mur, Will fut envahi par un inexplicable sentiment de tristesse qu'il ne put réfréner.

Ses yeux se remplirent d'eau et sa vision se brouilla. De grosses larmes roulèrent sur ses joues.

— Will, tu pleures? s'inquiéta Catherine. Mais, c'est incroyable! Tes larmes! Elles sont lumineuses!

Sans mot dire, Will s'essuya machinalement les yeux du revers de sa manche pour s'éclaircir la vue. Lorsqu'il les rouvrit, un phénomène étrange se produisit. Quand son regard se posa sur les inscriptions koudishs, qui jusque-là lui étaient incompréhensibles, leur sens s'éclaira. Comme un enfant qui commence à reconnaître son alphabet, Will pouvait maintenant saisir la signification de chaque signe.

— Ça alors! C'est incroyable! J'arrive à lire ce qui est écrit.

— Et qu'est-ce que ça dit? le pressa Catherine.

— Il est écrit :

« Ici prend fin ma vie écourtée. À cause de la témérité de mes frères bien-aimés, peu à peu, mon corps s'étiole et ma vie s'envole. Moi,

Milrod, troisième du nom, victime d'une injustice, ne pourrai trouver le repos éternel et rejoindre mes ancêtres que le jour où viendra Celui qui rétablira l'ordre initial et délivrera mon âme prisonnière de ce tombeau de tristesse. »

Alors qu'elle s'éloignait, émue, Catherine remarqua sur sa droite une main décharnée qui sortait de la paroi.

— Will? Approche ton épée d'ici!

— Celui qui a écrit ce message est mort emmuré dans cette paroi. Je comprends tout à présent. Éloigne-toi de ces murs, Catherine. Les Zoviats m'ont prévenu que certains éléments déréglés de leur nature avaient littéralement englouti plusieurs des leurs.

Le pauvre homme se croyait en sécurité ici, loin de la folie de ses frères. Il se sera tout de même fait prendre au piège du maléfique Bizantium.

— Viens, Catherine, sortons d'ici, c'est dangereux! insista Will en tirant doucement sur le bras de sa compagne.

— Non! On ne peut pas s'en aller comme ça! protesta-t-elle. Ce Milrod nous demande d'avoir pitié de lui et de l'aider à se libérer de sa prison de tristesse.

— Ça ne veut rien dire, voyons. Il est mort depuis trop longtemps déjà. Ce n'est pas prudent de s'éterniser ici. Viens! Partons! À moins que tu ne veuilles finir comme lui?

— Will, je t'en prie, fais-le pour moi! Réfléchis bien à ce qu'il a voulu dire et à ce que cela implique, insista Catherine.

— Bon, d'accord, grommela ce dernier.

Will n'avait pas très envie de prolonger leur séjour dans cet endroit macabre. Il reprit son inspection de la grotte en quête d'un indice qui lui permettrait de délivrer le triste fantôme de sa malédiction.

N'ayant rien trouvé d'intéressant, il revint vers le mur d'où dépassait la mystérieuse main. Il en scruta minutieusement toute la surface à la recherche d'un quelconque indice.

Alors qu'il passait et repassait sa main sur la paroi, Will crut voir celle du squelette bouger. Il recula d'un pas. À ce moment, les joyaux qui ornaient la hampe de son épée se mirent à scintiller faiblement d'abord, puis de plus en plus fort, jusqu'à ce qu'un rayon bleuté en jaillisse. Ce dernier vint percuter la pierre au cou de Will qui, à son tour, se mit à briller faiblement en émettant un bourdonnement intermittent. La main squelettique s'anima alors sous leurs yeux médusés. Comme le serpent envoûté par le chant de la flûte du charmeur, celle-ci sembla suivre le rythme, puis elle pointa vers la gauche, de son index décharné, un endroit sur le mur. À l'instant même où la pierre cessa d'émettre, la main retomba, inerte.

— Qu'est-ce que cela signifie? demanda Catherine.

— Je crois qu'on veut nous indiquer une ouverture cachée, assura Will en rangeant son épée.

Curieux d'en savoir plus, il s'avança vers l'endroit indiqué. Il appliqua ensuite une légère pression sur la paroi. Celle-ci se déforma et aspira sa main gauche. Malgré ses efforts pour la retirer, Will n'y parvint pas. Au contraire, c'est son avant-bras tout entier qui s'enfonça progressivement dans le mur. Alors que Catherine accourait pour l'aider, il s'écria tout en gesticulant de son bras valide :

— Non! Recule! C'est un piège! Quoi qu'il arrive, reste loin de ces murs!

Son bras gauche aspiré presque en totalité, Will, déterminé à ne pas finir comme son prédécesseur, saisit son épée. Il la planta ensuite dans le roc tout près de l'endroit où se trouvait son membre emprisonné. Il espérait ainsi affaiblir la prise. Mais, au moment où sa lame entra en contact avec la paroi, elle s'y souda et l'étrange bourdonnement reprit.

Un vif éclat lumineux jaillit alors de son pendentif. Le rayon atteignit la lame de l'épée et disparut dans la paroi qui s'éclaira de haut en bas. Will et Catherine virent ensuite une petite sphère de lumière s'en échapper. Celle-ci virevolta autour d'eux en laissant fuser des rires joyeux. Une fois la boule lumineuse sortie du mur, l'épée de Will s'y enfonça jusqu'à la garde sans rencontrer de résistance. La partie éclairée de la muraille disparut alors, libérant avec fracas le squelette momifié dans la pierre. Délivré de sa prison de roc, ce dernier se disloqua sur le sol. La disparition soudaine de la paroi eut pour effet de dégager le bras de Will qui se débattait comme un forcené. Il perdit l'équilibre et se retrouva sur le dos, tout près de Catherine.

Là ils furent témoins de la disparition du squelette après que la sphère l'eut survolé un court instant, avant de s'approcher d'eux.

— Qu'est-ce que c'est? fit Catherine, à la fois ravie et craintive devant cette manifestation lumineuse, en se plaquant contre son ami.

— C'est lui, Catherine, c'est le prisonnier de la grotte! Je pense qu'il veut nous remercier.

La petite boule de lumière se mit à virevolter autour d'eux en exécutant ses plus belles arabesques, semblables à la danse captivante des lucioles. Puis, elle s'immobilisa au-dessus de leur tête et revêtit soudain une forme humaine translucide, qui ressemblait fort aux Koudishs. Dans un ravissement total, les deux amis, obnubilés par la scène, entendirent tout à coup une voix masculine, douce et joyeuse, déclarer :

— Comment vous remercier? Grâce à votre ténacité, Milrod, troisième du nom, est enfin délivré de la grande tristesse qui avait emprisonné son corps ainsi que son âme dans ce funeste tombeau. Que Celui qui gouverne tout vous guide et vous protège dans votre quête, quelle qu'elle soit!

Puis, Milrod le Koudish, fier de sa liberté retrouvée, s'exclama, avant de reprendre sa forme sphérique et de filer tel un boulet de canon au tracé lumineux en direction d'une des parois :

— Idilïsh, Vadilïsh, Mobilïsh...

Une large ouverture apparut instantanément dans le mur de pierre, qu'il franchit allègrement, ouvrant devant lui un étroit couloir dans les entrailles de la terre.

— Suivons-le! suggéra Catherine avec enthousiasme.

Le passage providentiel déboucha, finalement, dans une vallée intérieure luxuriante qui contrastait avec tout ce qu'ils avaient vu jusqu'à présent. Après avoir salué ses bienfaiteurs d'une dernière arabesque, Milrod disparut, laissant Will et Catherine ébahis devant ce paysage.

— Quel endroit merveilleux! jubila Catherine. Cela n'a rien à voir avec ce que nous avons vu jusqu'à présent!

— C'est un lieu protégé qui, pour une raison qui m'échappe, a été préservé des effets du Bizantium, remarqua Will.

Comment ont-ils fait? Tout est si beau et a l'air si reposant ici.

9
L'explication du mystère

Pendant que Catherine explorait les lieux à la recherche de nourriture, Will préféra demeurer à l'écart afin de se reposer. Assis dans l'herbe, il laissa ses idées vagabonder. Il se remémora ainsi avoir souhaité de toutes ses forces être libéré du maléfique mur qui cherchait à l'avaler.

Du coup, il se rappela avec nostalgie les paroles d'Arouk qui, jadis, croyait dur comme fer être un animal porte-bonheur. Déjà à l'époque, Will soupçonnait la pierre divine d'être pour quelque chose dans cette croyance en donnant un coup de pouce discret au comportement du petit Taskoual.

Will eut, en touchant sa pierre, une pensée reconnaissante envers la déesse tandis qu'un brin de nostalgie venait le hanter en songeant au vieux Rod.

En faisant le bilan des pièges auxquels il avait échappé jusqu'à maintenant, il lui sembla, avec le recul, que depuis le début de ce voyage insolite une force obscure s'acharnait à l'empêcher de sauver son père adoptif. Décontenancé par le fait que tout semblait jouer contre lui, Will, accablé par la fatigue, se sentit soudain envahi par une vague de pessimisme.

Comment vais-je pouvoir atteindre la forêt d'Holdafgërg? Le temps va me manquer pour rejoindre les Koudishs et sauver le vieux Rod. Je n'y arriverai jamais, c'est perdu d'avance...

Will fut interrompu dans ses réflexions par un froissement de feuilles et le bruit d'un fruit que l'on croque. Il n'en fallut pas plus pour chasser ses sombres pensées. Il se remit aussitôt debout, l'épée au poing. En examinant le secteur avec attention, il crut détecter une présence derrière un buisson. L'arbuste s'agitait de façon insolite, comme si une créature essayait de s'y camoufler. Will se dirigea à pas de loup vers l'endroit suspect afin d'y débusquer l'éventuel intrus. Mais, en contournant les branchages, quelle ne fut pas sa surprise de découvrir son céleste compagnon confortablement installé sur un rocher qui, l'air paisible, savourait de petits fruits.

— Gaël! Je pensais justement à toi!

— Will, ce voyage commence à être pénible... Je me trompe?

— Tu l'as dit! Ça ne devait pas du tout se passer comme ça. Tout va de travers depuis mon départ de Mont-Bleu. Et puis, au train où vont les choses, si j'arrive un jour à retrouver mes amis koudishs, à mon retour mon père sera déjà mort et enterré!

— Je ne peux te dire qu'une chose : rien n'arrive pour rien.

— Je ne comprends pas! Explique-moi, Gaël, car je t'avoue que je me sens complètement perdu. De plus, j'ignore comment retourner chez les Koudishs. Ce continent me semble une vaste prison à ciel ouvert.

— Courage, Will! Bientôt tu retrouveras ton chemin. Mais avant, tu as quelque chose d'important à récupérer sur ces terres ravagées par la folie des ancêtres de ton ami Markus. Tu ne dois pas quitter cet endroit les mains vides, insista Gaël, d'un air mystérieux.

— Et que dois-je récupérer?

— Je t'ai dit déjà que rien n'arrivait pour rien. Il n'y a pas de hasard, Will. Si ton voyage t'a conduit ici, ainsi que ton amie Catherine, c'est pour des raisons précises.

— Ah, oui! Lesquelles?

— Kiröd, entre autres...

— Kiröd! Que se passe-t-il avec le chef des Koudishs?

— Le vénérable chef koudish est atteint d'un mal très rare appelé « Magimort vorace ». À l'heure actuelle Kiröd ignore tout de son état mais, dans peu de temps, les premiers symptômes vont apparaître. Mais il y a pire encore...

— Quoi encore? s'inquiéta Will, intrigué au plus haut point.

— Si le vieux sage devait mourir avant d'avoir reçu l'antidote au Magimort vorace, ce serait pour ainsi dire la fin des Koudishs. Le peuple de Markus se retrouverait prématurément sans la sagesse d'un chef initié, capable de veiller sur lui et de lui prodiguer, grâce à ses puissants pouvoirs, soins et sagesse.

— Dis-moi Gaël, quelle sorte de maladie est-ce là? Et qu'est-ce que je peux faire pour aider à sauver Kiröd?

— Le Magimort vorace, Will, est un mal mortel qui n'attaque que les maîtres magiciens. Le terrain propice à cette infection apparaît lorsque la victime n'arrive plus à préserver l'équilibre fragile du Vectrôm du cœur. Ce dernier est en quelque sorte le générateur de leurs pouvoirs. Ce déséquilibre survient lorsque le mage ne parvient plus à contrôler ses émotions, soit parce qu'il croule sous les soucis, soit parce qu'il est rongé par le chagrin. Les grands sages, afin de se prémunir contre cette terrible maladie, doivent toujours être maîtres de leurs émotions, quelles qu'elles soient.

— Mais, Kiröd n'a aucun souci? Tout va bien pour lui maintenant.

— Comme tu dis si bien, Will, pour lui! Tu te souviens que Kiröd t'a dit qu'il était à jamais lié à toi dans son monde ou dans le tien, où que tu sois?

— Oui, bien sûr! Je me rappelle parfaitement ces paroles prononcées par Kiröd au retour de notre victoire sur Malgor.

— À cause du grand attachement que te porte le peuple koudish depuis l'affrontement qui les délivra du sorcier maudit et de ses hordes sanguinaires, Kiröd, reconnaissant, rompit ce jour-là sa promesse de maître magicien.

« Plus tard, grâce à la pierre ancestrale du Guibök, il a eu vent de l'épreuve que tu traversais. Par l'intermédiaire du lien désormais indestructible vous unissant, il a partagé ta peine, tes tourments et ta souffrance après l'annonce de la mort imminente de ton bienfaiteur. Kiröd qui, pour sa propre survie, aurait dû contrôler ses sentiments, a vécu avec toi la terrible tristesse qui torturait ton esprit. Il a même essayé, des nuits entières, jusqu'à l'épuisement, de faire des incantations pour que la maladie de ton père régresse. Hélas, sa magie n'était pas assez puissante pour interagir à une telle distance. Tous ses efforts furent vains et ne firent que l'affaiblir encore plus, le rendant pour la première fois de sa vie vulnérable au Magimort Vorace. »

— Pauvre Kiröd! Et dire que c'est à cause de moi! s'écria Will, atterré.

Après un court moment de silence, Will, qui redoutait la réponse de Gaël, demanda :

— Est-il déjà trop tard pour que je puisse y changer quelque chose?

— Il n'est peut-être pas trop tard, Will. Un traitement est encore possible car ici, dans leur pays d'origine, pousse une plante très rare, appelée par les Koudishs « Nymphe des neiges ». Le Manoulia, le bouton de la Nymphe, est l'élément clé servant à concocter le seul antidote connu pouvant inverser le processus destructeur du Magimort vorace... Mais, pour le bien-être de Kiröd et de son village, si tu arrives à temps pour sauver le vieux sage, au moment de lui faire ingurgiter l'antidote, tu devras rompre le lien qui vous unit en le libérant de sa promesse. Une fois libéré, Kiröd pourra de nouveau veiller sur son peuple et former un autre maître magicien dont tu connais d'ailleurs déjà le nom. Je parle bien sûr de Markus, son digne successeur.

— Mais Gaël, où vais-je trouver cette plante? A-t-elle été préservée des effets du Bizantium? s'enquit Will, alors que Catherine l'appelait.

— La Nymphe des neiges ne pousse que dans les hauteurs, au creux des cavités rocheuses. Mais cette fleur rarissime n'éclot que deux fois l'an, grâce à la lumière des lunes jumelles plus basses en ces périodes de l'année. Sa floraison ne dure qu'une seule nuit. Pour ce qui est de savoir si elle a subi les effets néfastes du Bizantium, n'ait aucune crainte, elle est demeurée intacte car l'endroit où elle croît est pratiquement inaccessible, l'air étant à cette altitude d'une pureté exceptionnelle. Cependant, si tu veux sauver Kiröd, il te faudra faire preuve encore une fois d'un courage et d'une détermination sans pareils afin d'atteindre sa terre de prédilection située au sommet du mont Éterna qui trône au cœur des plaines de Nahala, par delà le Guibök.

« Si tu arrives, avant la fin des deux prochains jours, à te trouver à cet endroit et à cueillir la Nymphe des neiges avant les premières lueurs de l'aube, alors seulement, tu pourras sauver le vieux sage. Si tu arrives trop tard, ne serait-ce que de quelques minutes, la Nymphe des neiges se fanera et ne repoussera que dans six mois. »

— Mais Gaël, en admettant que je puisse cueillir cette plante, comment retrouverai-je le chemin qui mène au village des Koudishs? Et, dans tout cela, qu'advient-il de mon père adoptif? Enfin, une dernière question me travaille depuis mon arrivée, comment ai-je bien pu aboutir ici?

— Sache, Will, que je n'ai jamais interféré dans tes intentions de sauver le vieux Rod. Par contre, j'avoue qu'une fois ta décision prise et connaissant la menace qui pesait sur la vie de Kiröd, j'ai fait en sorte, pour t'aider, d'inciter Catherine à te suivre. Tout ceci en sachant que ta route serait inévitablement déviée vers le continent oublié, seul endroit où se trouve l'antidote pouvant sauver le chef koudish dont la santé est directement liée à celle de ton père adoptif. Pour ce qui est de retrouver la forêt d'Holdafgërg, Will, tout dépendra de ta foi. Fais confiance et, le temps venu, je suis persuadé que tu retrouveras la voie.

Avant de disparaître, Gaël lança vers Will, qui les saisit au vol, deux des petits fruits qu'il tenait encore dans sa main. Au même moment, Catherine revenait de sa cueillette.

Maintenant, je comprends mieux mon rôle sur ce continent perdu. Je vais tout faire pour sauver Kiröd qui, seul avec sa magie et ses connaissances, peut guérir le vieux Rod. Merci Gaël!

— Enfin, te voilà! Ça fait un moment que je te cherche. Viens voir ce que j'ai trouvé! s'exclama Catherine en lui attrapant la main.

Tout en se laissant entraîner par son amie, Will enfouit machinalement les deux petits fruits dans la poche de sa chemise.

10

L'escalier de marbre

Catherine emmena son compagnon au pied d'un rocher et lui montra, toute fière de sa découverte, un nid rempli d'oisillons.

— Comment est-ce possible? apparemment toute vie normale est inexistante sur ce continent, à part peut-être le Luzlor à crête aperçu sur la berge, et encore on ne sait pas trop d'où il sort, celui-là, marmonna Will.

Tandis qu'ils observaient le nid, Will et Catherine virent le mâle et la femelle oiseau qui virevoltaient dans les airs, se livrant à une véritable danse acrobatique. Mais cette danse n'avait rien d'un ballet artistique. Elle semblait plutôt destinée à les éloigner du nid, car elle se termina par une série de vols en piqués au-dessus de leur tête.

— Baisse-toi, Catherine, ils croient que nous en voulons à leurs petits.

Puis, le mâle vola très haut dans le ciel pour prendre son élan et effectuer une nouvelle charge. Au sommet de sa courbe, il parut se cogner contre une paroi invisible. L'impact fit apparaître des ondes lumineuses translucides qui se dissipèrent comme les ondulations de l'eau après un jet de pierre. C'est ce qui permit aux deux compagnons d'apercevoir une partie du dôme, indétectable jusque-là, qui servait apparemment de protection.

Voilà pourquoi tout est demeuré intact ici.

— Will! L'oiseau s'est assommé! Il est en train de tomber! Il faut l'attraper, vite!

Will partit en courant, fit le grand écart et attrapa le petit volatile avant qu'il ne s'écrase au sol. Catherine poussa un soupir de soulagement.

— Ouf, il était moins une! lâcha Will.

Fier de son exploit, il revint vers son amie et posa l'oiseau au creux de ses mains. Catherine déposa sur la joue de son héros un baiser en guise de remerciement. Malgré sa gêne évidente, Will sembla apprécier le geste.

Ensuite Catherine mit délicatement l'oiseau près de son nid. Encore un peu sonné, celui-ci reprit lentement son aplomb puis, comme si de rien n'était, il se redressa sur ses pattes. Fier comme un coq, il poussa un cri triomphal. Aussitôt, devant les deux complices émus, la femelle vint se poser près du mâle et se blottit contre lui pour lui faire, du bout de son bec, un examen en règle.

— Bon, à présent, nous devons trouver un endroit où dormir, suggéra Will, voyant la brunante s'installer progressivement.

Non loin de là, ils découvrirent l'endroit idéal. Situé près d'une paroi rocheuse, l'herbe y était dense et Will n'eut pas à construire d'abri, si ce n'est une paillasse de branchages pour leur confort.

Allongés l'un près de l'autre, épuisés par une journée riche en émotions, depuis leur départ de Mont-Bleu, ils s'endormirent bercés par le clapotis d'un petit étang et le coassement des grenouilles.

Réveillé au petit matin par le chant vigoureux du miraculé de la veille, Will, dont la cheville avait désenflée, se sentait mieux. En compagnie de Catherine qui, elle aussi, avait passé une excellente nuit, ils mangèrent quelques fruits avant de quitter à regret ce petit paradis. Sur le point de repartir, les poches pleines de provisions, en direction du tunnel formé par Milrod le Koudish, leur attention se porta vers le rescapé qui semblait s'égosiller à en perdre le souffle. Alertés par ses cris aigus, Will et Catherine s'approchèrent lentement de l'escarpement rocheux sur lequel il se trouvait.

Lorsqu'ils furent à proximité, l'oiseau ne parut pas effrayé. Alors qu'ils l'observaient sur son perchoir, le volatile se mit à jacasser joyeusement en variant son chant et en l'entrecoupant de sifflements aigus.

— On jurerait qu'il veut nous dire quelque chose! s'exclama Catherine.

— Regarde! fit Will qui s'avança brusquement tout en pointant le gros rocher sous le volatile, le faisant fuir.

Sur la paroi, recouverte en partie d'une cascade de végétation, apparaissaient d'étranges hiéroglyphes.

— C'est du koudish, ça aussi? demanda Catherine.

— Euh... je ne sais pas trop, répondit Will en hésitant. Si ça en est, il s'agit d'un langage très ancien que je n'ai jamais vu auparavant.

Catherine, de son côté, remarqua un peu plus loin trois petites roues dentées, gravées dans la pierre, en tous points semblables à celles d'un mécanisme d'horlogerie.

— Will! Viens voir ce que j'ai trouvé!

Quand Will s'approcha du mystérieux dessin, son épée émit un son de faible intensité. Il sortit alors son arme et vit les pierres de la hampe scintiller puis émettre un rayon bleuté qui courut sur la lame jusqu'à la pointe. L'épée commença à chauffer la paume de Will qui, pour ne pas être brûlé, la lâcha.

Aussitôt l'arme s'envola vers la paroi où elle se plaqua violemment, comme attirée par un puissant aimant. Dès ce contact, les roulettes s'illuminèrent et le mécanisme jusque-là dessiné sur la pierre apparut en relief. L'épée qui, selon toute vraisemblance, avait servi de déclencheur, perdit sa luminosité et tomba par terre. Will ramassa son arme alors que le mécanisme prenait forme et s'activait sous leurs yeux.

— Will! Ça ne me dit rien qui vaille, filons d'ici pendant qu'il est encore temps.

— Attends, Catherine, nous devons voir ce qui va arriver. C'est peut-être un passage qui pourrait nous permettre de gagner du temps.

Pendant qu'ils discutaient, un sourd gronde- ment résonna et, soudain, une partie du mur s'ouvrit lentement, dévoilant une ouverture obscure, étroite et passablement basse.

— Nous allons l'emprunter pour voir où cela mène, suggéra Will. À en juger par les dimen- sions, c'est sûrement l'œuvre des Koudishs.

Ils n'avaient pas fait dix pas qu'une odeur épouvantable les obligea à rebrousser chemin. Mais, au moment où ils allaient ressortir, dans un bruyant grincement de pierres qui s'entre- choquent, l'énorme porte de granit se referma devant eux, les emprisonnant dans le noir le plus total.

— Nous sommes piégés! s'écria Catherine.

— Restons bien ensemble, répondit Will.

Il attrapa la main de sa compagne et, à demi courbés, ils marchèrent à l'aveuglette dans ce couloir nauséabond.

Après un moment, un point lumineux appa- rut loin devant eux, laissant présager la fin du tunnel. Mais, plus ils approchaient de la lumière plus ils étaient incommodés par cette odeur âcre.

— Je n'en peux plus! Ma tête va exploser! dit Catherine.

— Nous n'avons pas le choix, nous devons aller jusqu'au bout, répondit Will, fortement incommodé lui aussi.

L'extrémité du tunnel débouchait dans une salle souterraine. Deux nouveaux couloirs y prenaient naissance de part et d'autre d'un large escalier de marbre blanc qui se dressait devant eux. Accablés de douleur, les deux compagnons ne prirent même pas le temps d'examiner les lieux et foncèrent vers le grand escalier. Dès qu'ils posèrent le pied sur la première marche, leurs maux de tête disparurent.

— Ouf! Ce n'est pas trop tôt! fit Catherine, en respirant de nouveau à pleins poumons.

— Allons jusqu'en haut. Ça devrait déboucher à la surface.

Au moment de poser le pied sur la marche suivante, Will s'arrêta, frappé soudain par la vision d'une grosse boule de feu pareille à un soleil ardent qui s'avançait vers lui, puis il se retrouvait prisonnier au cœur d'un cyclone.

— Que se passe-t-il? demanda Catherine.

— Oh, rien! Une vision. C'est sans importance, balbutia Will en cherchant à comprendre la signification de ce qu'il venait de voir.

Ils continuèrent donc l'ascension du grand escalier, illuminé vers le haut par la clarté du jour.

— Oh! Tu as vu ça, Will! s'exclama Catherine en atteignant les dernières marches. Cet endroit devait être un vrai paradis, jadis!

En effet, devant eux s'étendait une somptueuse cité apparemment déserte.

Au centre d'une place, une fontaine surplombée par une statue représentant une femme d'une grande beauté, semblait leur tendre les bras. Cette dernière avait l'air si réelle qu'elle paraissait sur le point de s'animer. De la harpe qu'elle tenait à la main s'écoulait une eau parfaitement limpide. Cette eau si claire étonna Will et suscita immédiatement sa méfiance.

— Non, Catherine! Attends! cria-t-il à sa compagne qui s'élançait déjà.

Will fit un pas en avant, son épée tendue devant lui. Au moment de franchir un porche pour pénétrer dans la cité proprement dite, il reçut, à travers son arme, une décharge électrique. En même temps, une membrane translucide qui devait servir de protection contre les intrus, apparut durant un instant.

— Will, que se passe-t-il?

— C'est un champ magnétique qui protège la cité.

— Qu'allons-nous faire?

— Logiquement, il devrait y avoir un mécanisme ou une autre façon de désactiver temporairement ce bouclier invisible! Je vais essayer quelque chose.

Will redescendit l'escalier pour ramasser une pierre et revenir la lancer ensuite contre le bouclier magnétique, occasionnant ainsi une forte décharge électrique qui illumina les lieux. Durant la déflagration, Will eut le temps de voir, sur la paroi de roc adjacente, un petit symbole koudish qui clignota un instant, lui révélant ainsi l'emplacement d'une mystérieuse serrure.

— Tu as vu, Catherine? C'est là qu'est la clé de l'énigme. À mon signal, tu lanceras la pierre comme je viens de le faire.

— D'accord!

— Vas-y!

Will s'élança au même moment et, d'un coup précis, il planta sa lame au centre du petit dessin qui venait de réapparaître. Sous l'action de l'épée, une myriade de petites étincelles bleutées fusèrent et, comme attirées par le métal, coururent sur la lame jusqu'à la hampe où elles firent étinceler les pierres incrustées. Lorsque les joyaux cessèrent de scintiller, en lieu et place du portail invisible, apparut une muraille de granit qui les emprisonna dans le noir le plus total.

— Nous sommes coincés! s'écria Catherine en cherchant à tâtons le bras de son compagnon.

— Ne t'inquiète pas, nous en sommes au même point qu'avant. La seule différence c'est qu'avant nous pouvions voir à travers…

Will n'eut pas le temps d'aller au bout de son raisonnement. L'épaisse paroi s'ouvrit lentement dans un grincement sinistre, dévoilant de nouveau l'ancienne cité à ciel ouvert.

— C'est fantastique! Tu as réussi! jubila Catherine en se précipitant de l'autre côté, dans la direction de la fameuse fontaine.

— Prends garde à cette fontaine, Catherine! L'eau qu'elle contient est sûrement contaminée, prévint Will.

La place centrale était ceinte de maisons luxueuses aux portes basses. Dans ces lieux préservés qui avaient traversé le temps régnait un calme profond. Des lieux où, à en juger par le décor, poussaient jadis arbres et plantes dont ils ne restaient aujourd'hui que des vestiges desséchés.

— Quel contraste! Les Koudishs que je connais vivent dans des demeures beaucoup plus modestes, songea Will à voix haute.

Plus loin, de l'autre côté de la fontaine, Will remarqua un autre escalier. Celui-ci, gardé par deux énormes sculptures, conduisait à une demeure somptueuse qui, par la beauté des lieux et la décoration qui garnissait ses murs, avait toutes les apparences d'une résidence royale.

— Ce sont les ancêtres de tes amis qui vivaient ici? demanda Catherine qui n'avait pas assez d'yeux pour tout voir.

— Oui, autrefois, avant l'avènement du Bizantium, ils…

— Qui va là? tonna une voix grave à travers de puissants coups de tonnerre qui résonnèrent dans toute la cité.

Rivés sur place par la voix, Will et Catherine furent bientôt cernés par de nombreux spectres qui flottaient au-dessus d'eux. Les traits de leurs visages rappelaient les Koudishs du clan de Kiröd, mais leurs yeux et leurs mimiques n'avaient rien pour rassurer les nouveaux venus.

— Ils ont l'air vraiment menaçants, chuchota Catherine en se serrant contre son compagnon.

— Je vais essayer de parlementer avec eux, répondit Will, l'épée bien haute.

Fort de son expérience aux marécages d'Imört[1], Will, plutôt que de céder à la panique, invita poliment les spectres à les laisser en paix. Mais ceux-ci ne l'entendirent pas ainsi et resserrèrent plutôt l'étau sur eux. Will, se mit alors à tournoyer autour de sa compagne en distribuant à qui mieux mieux de violents coups d'épée.

Chaque coup provoquait plaintes et gémissements ainsi que le réveil lumineux des pierres ornant la hampe. Traversés de part en part par les estocades de Will, les spectres commencèrent à reculer et se tinrent à bonne distance.

C'est alors qu'apparut devant eux un spectre majestueux. Beaucoup plus grand que ses congénères, ce dernier arborait, sous son regard menaçant, une longue barbe enflammée qui semblait brûler d'un feu éternel en illuminant son visage aux traits sévères. Armé de son redoutable sceptre au bout duquel s'agitait une tête de cobra à la gueule grande ouverte, le chef de bande, aux allures de prince des ténèbres, tenait dans son autre main une pierre qui irradiait comme

---

1. Voir *Le monde parallèle*, coll. Will Ghündee tome I, Éditions Michel Quintin.

un soleil miniature. La pierre lumineuse aux mille éclats semblait lui brûler la paume en permanence.

— Je suis Emlish-Le-Tout-Puissant et je t'ordonne de me rendre cette arme qui appartient à mon peuple, sinon tu vas regretter d'avoir violé le secret de Ma cité! s'exclama d'une voix d'outre-tombe celui qui surplombait Will en laissant jaillir tout autour de lui un torrent d'éclairs.

— Comme vous avez fait avec les gentils Zoviats! répliqua Will, fermement décidé à ne pas céder à la menace.

— Tu as l'audace de me narguer, misérable mortel! Tu vas regretter d'avoir osé souiller de ta présence ces lieux sacrés et désobéi au grand Emlish, menaça le spectre, d'une voix qui fit trembler les fondations de la cité.

— Tu ne devrais pas le provoquer, Will. Partons d'ici pendant qu'il en est encore temps, insista Catherine.

— Ne t'inquiète pas. Comme avec les autres, je vais le tenir en respect avec mon épée, chuchota Will à son oreille.

— Tu devrais écouter les sages conseils de la fille. Donne-nous cette épée et disparaissez avant qu'il ne soit trop tard, menaça Emlish.

— Jamais vous ne l'aurez. Tenez-vous-le pour dit! se rebiffa Will en pointant sa lame.

L'arme, qui brillait déjà de tous ses feux depuis l'arrivée du spectre brûlant, projeta d'elle-même sur Emlish un puissant éclair bleuté qui le fit reculer.

— Tu l'auras voulu! tonna ce dernier.

Emlish-Le-Tout-Puissant entra alors dans une telle colère que les colonnes, les murs et le sol à proximité de Will se lézardèrent de toutes parts faisant craindre l'effondrement de la cité.

— C'est le cyclone que j'ai vu dans l'escalier, il va le déclencher! Viens, Catherine, nous devons fuir avant qu'il ne soit trop tard, s'écria Will en attrapant le bras de sa compagne pour déguer-pir ensuite à toutes jambes.

Ils coururent entre les débris fraîchement tom-bés et se dirigèrent vers un corridor, de l'autre côté de la cité infernale. Sur leur passage les fon-dements mêmes de cette dernière étaient ébran-lés par le gigantesque cyclone.

Catherine se retourna brièvement. Une vision horrible l'attendait. Elle vit les spectres koudishs fusionner pour former, grâce à leurs obscurs pouvoirs, ce tourbillon lumineux qui arrachait tout sur son passage.

— Vite, le cyclone nous rattrape! s'écria-t-elle.

Au bout du corridor, ils débouchèrent devant un escalier qui les amena dans un grand jardin bordé par une forêt dense. Sans hésiter, Will et Catherine foncèrent résolument en direction des bois...

11
La libération

— Non, pas par là! Pas par la forêt des ombres! C'est trop dangereux! supplia une voix derrière eux.

Sur le point d'atteindre l'orée du bois, les deux fugitifs stoppèrent brusquement leur course effrénée.

En se retournant, surpris, ils aperçurent le Luzlor à crête qui se tenait sur la branche basse d'un arbre mort.

Toute trace du cyclone, cette fureur engendrée par les spectres de la cité koudish, avait disparu.

— Et pourquoi devrions-nous te croire, lézard volant? lança Will, encore tout essoufflé.

— Laisse-le s'exprimer, intervint Catherine. Sans lui je ne t'aurais jamais retrouvé. Tu lui dois donc d'être encore en vie. Je crois qu'il mérite notre confiance.

— Si vous essayez de pénétrer dans cette forêt, vous disparaîtrez à jamais. Et si par le plus grand des hasards vous arriviez à y entrer, ce dont je doute fort, eh bien, vous en seriez prisonniers pour l'éternité! Ce n'est pas très rassurant quand on sait qu'elle est infestée de Môglishs qui auront tôt fait de vous dévorer vivants, prévint Kroco.

Malgré les avertissements du Luzlor à crête et l'intervention de Catherine, Will se dirigea d'un pas résolu vers la forêt dite maléfique. Cependant, en atteignant ses abords, il s'immobilisa et balaya du regard le sol autour de lui. Intriguée, Catherine s'approcha et le vit ramasser une pierre qu'il lança en direction des premiers arbres. À l'instant même où le caillou franchit l'orée du bois, il se désintégra en un fin nuage de poussière, comme si la pierre avait implosé.

— Tu vois, le Luzlor a raison! Nous devons trouver une autre route, insista Catherine.

— Non, Catherine, c'est le seul chemin pour atteindre les plaines de Nahala.

— Tu ne m'as jamais parlé de cet endroit, Will. Ne devions-nous pas plutôt retrouver le chemin conduisant à la forêt d'Holdafgërg?

— Mes plans ont changé en cours de route. Désolé, je n'ai pas eu le temps de t'en parler. Je ne voulais pas t'inquiéter avec ça…

— Et pourquoi, soudainement, faut-il aller sur ces mystérieuses plaines?

— Mes amis koudishs ont grand besoin de mon aide, leur chef Kiröd est très malade. Si je ne l'aide pas, il va mourir lui aussi. Et puis, si Kiröd meurt, c'est tout le clan des Koudishs qui risque de disparaître avec lui. Quant au vieux Rod, sans l'aide de Kiröd, c'est comme s'il était déjà mort…

Will résuma à Catherine sa récente rencontre avec Gaël et les troublantes révélations qu'il lui avait faites. Événement qui changeait désormais le but de leur voyage.

— D'accord, Will, mais avant de prendre quelque décision que ce soit, promets-moi d'écouter les conseils de notre ami volant.

— Bon, si tu veux, promit Will les dents serrées, ne pouvant s'expliquer la méfiance instinctive qu'il ressentait à l'endroit du Luzlor à crête. Alors, reptile volant, tu dis pouvoir nous aider. Dans ce cas, parle et fais vite car le temps presse.

— Kroco peut vous aider à atteindre les plaines de Nahala. Je connais un chemin qui vous fera gagner du temps. Mais pour cela il faut retourner sur vos pas et emprunter le passage sous la cité.

— La cité! Ça ne va pas, l'emplumé! C'est hors de question! Tu n'as aucune idée de ce qu'ils nous ont fait subir là-dedans.

— Avec Kroco comme guide vous ne risquez rien. Ces spectres redoutent les Luzlors à crête autant que la lumière de ton épée. Ils vous laisseront tranquilles, je vous le garantis.

— Qu'en dis-tu, Will? Si Kroco ne nous a pas menti pour la forêt, pourquoi le ferait-il pour le passage sous l'ancienne cité koudish? Et puis, as-tu remarqué comme tout est redevenu calme depuis son arrivée?

— Je ne suis pas très favorable à l'idée de retourner là-dedans mais à défaut d'une meilleure solution, va pour le passage sous la cité! Mais je te préviens, lézard volant, si tu mens je te couperai la tête sans aucun remords! le prévint Will.

Ainsi, Kroco les conduisit de nouveau dans la cité. Celle-ci, qu'ils croyaient fortement endommagée par la chaleureuse réception de la bande de spectres inhospitaliers rencontrés plus tôt, semblait à présent intacte, comme si rien ne s'était passé. Un calme désarmant y régnait et, étrangement, tout avait repris son aspect initial.

— Tu as vu ça! chuchota Catherine. On jurerait que tout ce que nous avons vécu n'était qu'illusion...

— Tu as dit illusion? Mais bien sûr! Pourquoi n'y ai-je pas songé avant? les Zoviats m'avaient pourtant conseillé de me méfier des illusions trompeuses.

— Kroco a raison, Will. Les spectres ne se montrent pas. Ils redoutent réellement sa présence!

— Peut-être, mais ce Kroco me semble savoir un peu trop bien où il va, marmonna Will.

— Qu'est-ce que tu veux insinuer par là?

— Lors de notre première rencontre, il m'a affirmé qu'il n'y avait ni route ni âme qui vive sur ce continent et que je n'irais nulle part sans son aide. Pourtant, nous sommes arrivés jusqu'ici. Ce Kroco n'est pas net, son discours est biaisé. Il a même essayé de marchander mon épée, tu te rends compte!

— Par ici mes amis, coupa Kroco, juché sur la tête de l'impressionnante statue qui ornait la fontaine.

Au pied de celle-ci, Will, qui fixait Kroco, sentit monter en lui une méfiance telle, que d'instinct, il dégaina son arme. L'épée une fois en main, il demanda :

— Alors, lézard volant, il est où ton passage secret?

Le ton incisif avec lequel Will s'adressa au Luzlor à crête sembla irriter ce dernier. Gonflant son plumage et sortant sa crête, il toisa Will du haut de son perchoir et lâcha :

— Toi, je ne t'aime pas, et cela depuis le début! J'épargnerai peut-être la fille pour mes distractions mais en ce qui te concerne tu vas regretter de ne pas être entré dans la forêt des ombres comme tu souhaitais le faire. Là au moins tu aurais connu une fin moins atroce que celle que nous te réservons, mes amis et moi.

— Approche un peu et tu vas goûter à ma lame, misérable reptile! répliqua Will du tac au tac, furieux d'être tombé dans un guet-apens.

— Kroco, espèce de traître! Et moi qui avais confiance en toi, s'écria Catherine.

— Viens, dépêchons-nous, Catherine! Ce salopard s'est bien joué de nous. Retournons vite vers la forêt. C'est la seule issue possible.

— Toi qui as osé m'insulter, tu n'iras nulle part! tempêta le Luzlor à crête.

L'air furieux, ce dernier prit soudain l'apparence d'une créature mi-homme, mi-oiseau de proie. De grande envergure, ses ailes d'un noir d'ébène et son regard rougeoyant rappela à Will les Raptors qu'il avait combattus sur les basses terres de Mamöha.

En poussant des cris aigus, l'oiseau plongea brusquement sur Will, ses longues serres en avant. Ayant anticipé l'attaque, Will le blessa de son épée. Les pouvoirs protecteurs de l'arme qui venait de l'atteindre repoussèrent violemment le traître qui fut projeté contre une colonne.

Avant d'avoir pu amorcer leur retraite, les deux fugitifs furent de nouveau cernés par Emlish et sa bande de spectres, qui comptait maintenant un nouveau membre : l'ex-Luzlor à crête qui avait, semble-t-il, retrouvé son aplomb. Le sinistre volatile jura à Will, qui croyait bien en avoir fini avec lui, que, tôt ou tard, il aurait sa peau.

— Bien joué, Kroco! Je savais que je pouvais compter sur toi. Un jour je ferai de toi un vrai Koudish. Maintenant éliminez-moi ces misérables et emparez-vous de l'épée! Il nous la faut à tout prix. En fusionnant ses pouvoirs à ceux du Bizantium, nous retrouverons notre apparence d'origine pour l'éternité. Je veux que ces deux-là périssent debout, pétrifiés par la peur. Allez! Déchaînez sur eux vos pouvoirs infernaux! ordonna le maléfique Emlish.

Comme un torrent aux flots glacés, de nombreux spectres s'abattirent sur Will et Catherine.

Malgré les coups d'épée de Will qui les affaiblissaient chaque fois, ses adversaires étaient trop nombreux et la force déployée trop grande. Se sentant faiblir sous le flux intense des spectres qui les traversaient, les deux compagnons d'infortune furent contraints de reculer jusqu'à se trouver acculés à la fontaine.

Alors qu'il combattait avec l'énergie du désespoir, Will sentit soudain une poigne de fer lui saisir le cou par-derrière. La statue de la fontaine venait de s'animer sous les ordres d'Emlish. Catherine, qui s'était portée au secours de son compagnon, avait beau frapper sur le bras de la maléfique statue de toutes ses forces, ce fut en vain. La dame de marbre, en pleine métamorphose, refusait de lâcher prise puis, de sa main libre, elle projeta avec violence la jeune fille sur le sol.

Les spectres en profitèrent pour traverser Catherine de toute part, la vidant peu à peu de son énergie vitale. Lorsque Will, qui assistait impuissant à la scène, vit que le regard de Catherine commençait à devenir vitreux, il entra dans une colère épouvantable. De son torse jaillit alors un intense faisceau lumineux et ses forces décuplèrent.

D'une simple torsion de son corps Will se dégagea de la prise qui l'immobilisait. Il attrapa les bras de la statue et les arracha net. Il y eut alors une violente secousse qui le projeta au sol. Sous les tremblements, le marbre de la statue se mit à craquer de haut en bas. En s'émiettant la sculpture laissa surgir de dessous son socle, en provenance des profondeurs, un gigantesque caillou en tous points semblable à la pierre ancestrale du Guibök. Ce dernier brillait de mille feux et dégageait une intense luminosité jaunâtre. Dès son apparition de violents maux de tête vrillèrent les tempes de Will, alors que la pierre de la déesse, accrochée à son cou, se mettait à scintiller au rythme du monstrueux rocher.

Voyant Catherine sur le point d'être terrassée par le rayonnement néfaste du Bizantium et les attaques répétées des spectres, Will, malgré l'intense douleur, avança péniblement en direction du rocher maudit puis, saisissant son épée à deux mains, il l'enfonça de toutes ses forces dans la pierre scintillante. Une impressionnante réaction en chaîne, résultant du combat entre la magie blanche de l'épée de Will et les obscurs pouvoirs du Bizantium, s'enclencha alors, suivie d'une formidable déflagration.

Grâce aux pouvoirs de la pierre divine qui créa un dôme irisé, l'explosion fut restreinte autour du rocher. Le Bizantium perdit graduellement de son intensité, l'épée koudish semblant aspirer son énergie. Will eut alors droit à un impressionnant spectacle. Il vit le Bizantium se dissoudre graduellement. Du coup, tous les spectres présents s'évaporèrent dans d'affreuses lamentations. L'infâme Kroco, seul survivant, s'enfuit en affirmant qu'il vengerait la mort de ses acolytes.

Une fois le calme revenu, Will, encore ébranlé, se releva et s'avança en chancelant jusqu'à Catherine qui, toujours allongée sur le sol, semblait dormir paisiblement.

— Catherine, réveille-toi! Tout est fini, murmura Will en lui caressant doucement le visage.

Catherine ouvrit lentement les yeux comme si elle sortait d'un profond coma. Elle vit Will penché au-dessus d'elle qui la regardait avec inquiétude.

— Qu'est-il arrivé? Où sont passés les spectres?

— Ils ont pris la poudre d'escampette quand ils t'ont vue tomber à bras raccourcis sur leur statue, la taquina ce dernier.

Il vit avec soulagement un léger sourire s'esquisser sur le visage de sa compagne.

Une fois remis de leurs émotions, Will aida Catherine à se relever et les deux rescapés reprirent la direction de la forêt.

— Will, ton épée, lança Catherine qui s'arrêta brusquement et fit demi-tour pour la ramasser.

— Non! N'y touche pas! s'écria Will en voyant la luminosité jaunâtre qui émanait de son arme tombée sur le sol...

12
L'envahisseur

Dès que Catherine entra en contact avec
l'épée, un petit arc électrique courut de l'arme
à sa main en grésillant et, sous le choc, elle se
retrouva assise par terre.

— Ça va, Catherine?

— Qui êtes-vous?

— C'est moi, Will, ton ami! Tu ne te souviens
pas?

Will l'aida à se relever. Dès que sa main entra
en contact avec celle de sa compagne, il eut
une brève vision. Il entrevit une mystérieuse
silhouette noire qui s'avançait vers lui d'un air

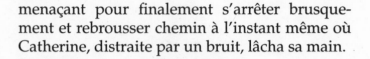

menaçant pour finalement s'arrêter brusquement et rebrousser chemin à l'instant même où Catherine, distraite par un bruit, lâcha sa main.

Will rengaina son épée, qui avait repris son aspect normal. Ce qu'il venait de voir et l'amnésie de son amie le préoccupaient. Il invita cette dernière à le suivre en direction des bois.

Alors qu'ils s'apprêtaient à franchir les limites de la forêt des ombres, Catherine réagit de façon mystérieuse.

— Non! Pas cette forêt! Si tu y entres un grand danger te guette, prévint-elle en fixant Will d'un regard éteint.

— Mais, Catherine, nous n'avons pas le choix. C'est notre seule porte de sortie!

— Comme tu voudras... Je t'aurai prévenu, répliqua-t-elle nonchalamment.

Elle se contenta de baisser les yeux et de suivre silencieusement son compagnon comme si elle était sous hypnose.

Qu'est-ce qui a bien pu se passer pour qu'elle se comporte ainsi?

Tenant son amie par la main, Will s'enfonça dans les bois où ils disparurent instantanément.

Mais contrairement à ce que redoutait Catherine, ils réapparurent sains et saufs en plein cœur de la forêt. Tout au plus ressentirent-ils un léger vertige.

Dans cette forêt mystérieuse, Will ne détecta aucun signe de vie apparent. Seul le souffle du vent, faisant claquer les branches mortes, troublait l'épais silence.

Alors qu'ils avançaient droit devant eux, Will remarqua soudain sur le sol à sa droite une ombre difforme d'une taille impressionnante qui semblait suivre leur déplacement.

C'est étrange, il n'y a pourtant pas de soleil. D'où peut bien provenir cette ombre?

En se retournant Will ne vit rien d'anormal, seulement Catherine qui, ayant lâché sa main, marchait derrière lui, l'air absente.

— Catherine, tu as vu cette ombre à côté de nous?

— Non, je n'ai rien vu, répondit celle-ci d'une voix monocorde.

La tête relevée, elle semblait s'intéresser au bruit des branches au-dessus d'elle.

— J'ignore pourquoi, mais je n'aime pas ça! Pas plus que de te voir dans cet état. En continuant en ligne droite nous devrions pouvoir traverser la forêt.

Mais, après quelques instants, une fois encore l'énigmatique ombre apparut sous forme d'une silhouette allongeant soudain ses longs bras aux mains griffues en direction de Will.

Cette silhouette! C'est la même que j'ai vue en touchant la main de Catherine.

— Catherine, tu as vu ça, cette fois? s'exclama Will en se retournant.

Sa compagne avait disparu.

— Ohé! Catherine! Où es-tu?

Alors qu'il se lançait à sa recherche, Will sursauta en voyant apparaître Catherine devant lui, juste à l'endroit où se tenait l'ombre auparavant.

À quelques pas de lui, elle le fixait avec un regard mauvais, comme si elle était possédée par une force obscure.

Puis, Will vit l'ombre maléfique, aperçue plus tôt, s'approcher rapidement et s'infiltrer dans le corps de son amie par la plante de ses pieds. Catherine se redressa alors de façon menaçante, dominée à présent par cette « chose ». Devant Will, stupéfait, son aspect physique se modifia soudain. Ses yeux s'allumèrent de façon insolite comme si des ondes déformantes allaient et venaient dans ses pupilles, ses ongles s'allongèrent outrageusement et devinrent jaunâtres. Ses beaux cheveux firent place à une chevelure hirsute et la peau de son visage se teinta de gris. Catherine en pleine métamorphose sous l'emprise de l'envahisseur, se jeta sur Will et le saisit à la gorge. Elle possédait à présent la force de deux hommes réunis. Will, qui était loin de s'attendre à un tel assaut, ne put cependant se résigner à la blesser.

— Catherine, lâche-moi, tu me fais mal, supplia Will, le visage bleu par le manque d'air.

Voyant ses appels rester vains et n'ayant d'autre choix que d'utiliser la force physique pour briser cette douloureuse étreinte, Will lui saisit fermement les bras en espérant ne pas la blesser puis, au prix d'un effort intense, parvint à se libérer momentanément.

— Catherine! C'est moi! C'est Will, ton ami de Mont-Bleu, insista ce dernier, le souffle court.

Mais Catherine demeura de glace et se jeta de nouveau sur son compagnon.

Je dois absolument détruire cette « chose » qui s'est emparée d'elle, mais comment? Si j'utilise la manière forte, je risque à tout coup de tuer Catherine.

Évitant tant bien que mal les charges répétées de l'envahisseur, les mots qu'avait prononcés avec conviction un des Zoviats, revinrent à l'esprit de Will : *Si tu as foi en toi...* Stimulé par ces paroles, Will attrapa son amie à bras-le-corps comme pour lui donner une accolade. C'est alors que la « chose » qui avait pris possession de Catherine se rebiffa et enfonça ses longs ongles dans le dos de Will. Malgré la douleur, celui-ci étreignit sa compagne de toutes ses forces. Puis, resserrant encore son étreinte, il s'écria :

— Catherine, tu es ma seule amie! Jamais je ne t'abandonnerai aux griffes de ce monstre, même si je dois en mourir!

Une fois encore la vive lueur rougeâtre jaillit du torse de Will et s'infiltra dans le corps de Catherine.

Son regard s'anima de nouveau. L'envahisseur, ne pouvant supporter plus longtemps ce débordement d'affection sincère, se retira.

Soulagé, Will vit l'intrus sortir du corps de son amie sous la forme d'une ombre reptilienne qui glissa sur le sol en direction des bois tout en laissant échapper d'affreux grincements. Du coup, Catherine retomba mollement dans ses bras où, après quelques instants, libérée de son hôte indésirable, elle reprit son apparence normale.

— Catherine, réveille-toi, tout est fini à présent! s'exclama Will.

Sa compagne indemne le fixait de ses grands yeux couleur jade, à la fois étonnée et ravie de se retrouver dans ses bras.

— Will, que s'est-il passé? Où sommes-nous?

— Enfin te revoilà! Nous sommes dans la forêt des ombres, Catherine. Tu ne te souviens de rien?

— Non! Le dernier souvenir que j'ai, c'est ta voix me disant de ne pas toucher à ton épée au moment où je posais la main dessus. Après, plus rien! C'est le vide total!

— Tout ce qui compte c'est que tu sois saine et sauve. Les maléfiques pouvoirs du Bizantium se sont infiltrés en toi par l'intermédiaire de l'épée. Ils auront par la suite attiré d'autres forces négatives habitant cette forêt, dont l'une aura pris possession de ton corps.

Au bout d'un moment, reprenant du poil de la bête, Catherine lâcha spontanément :

— Une chose est sûre : on ne s'ennuie pas avec toi, Will Ghündee!

Cette dernière réplique fit sourire Will qui, trop heureux de retrouver sa fidèle compagne aussi vive d'esprit que de coutume, l'invita à reprendre la route à travers bois.

13

La forêt des ombres

Perdus au cœur de la vaste étendue brunâtre jonchée d'arbres morts, Catherine et Will avançaient prudemment, lorsque ce dernier, qui surveillait sans cesse les alentours, vit apparaître, loin derrière eux, des silhouettes suspectes.

— Il ne faut pas traîner par ici! chuchota Will. Je n'aime pas trop ceux qui nous suivent.

Il prit la main de Catherine et ils partirent au pas de course dans le sentier accidenté.

Dans le feu de l'action, ils trébuchèrent sur une liane tendue entre deux arbres et allèrent s'écraser, face contre terre, dans les feuilles sèches et le bois pourri. Comme ils tentaient de se relever ils s'aperçurent qu'ils avaient les pieds liés par ce végétal à la texture élastique. Plus ils cherchaient à se libérer, plus celui-ci resserrait son étreinte autour de leurs chevilles, stoppant presque la circulation sanguine.

Endolori et incapable de se défaire de ces étranges lianes, Will, d'un coup d'épée, sectionna le long tentacule. Un long cri d'agonie résonna dans les sous-bois, puis les liens se rompirent et se desséchèrent instantanément.

Alors qu'ils s'apprêtaient à se relever pour déguerpir de plus belle, Will entendit des chuchotements provenant du sol. En tendant l'oreille, il saisit ce conseil étonnant :

— Psitt! Si vous tenez à la vie, ne bougez pas!

En cherchant d'où venaient les mystérieux murmures, Will aperçut tout à coup de minuscules humanoïdes qui accouraient dans leur direction. Arrivé près d'eux, le groupe de lilliputiens se mit à gesticuler vivement pour les inciter à demeurer allongés à plat ventre.

— Tu as vu ça? s'exclama Will pour attirer l'attention de Catherine sur sa nouvelle découverte.

Ils suivirent les conseils des minuscules petits hommes et demeurèrent plaqués au sol, osant à peine respirer. Soudain, des ombres noires, qui poussaient d'affreux gémissements semblables à des grincements de portes, passèrent tout près d'eux.

Catherine, qui n'arrivait pas à distinguer les petits humanoïdes avec qui son compagnon discutait à voix basse, lui demanda :

— À quel genre de personnes tu parles, Will?

— Je l'ignore.

Une dizaine de lilliputiens précédés par celui qui les avait invités à demeurer immobiles s'arrêtèrent au niveau de leurs visages.

Ce dernier s'adressa à ses gigantesques interlocuteurs :

— Soyez sans crainte, les Vampouz ne peuvent déceler les fluides corporels à l'horizontale.

— Qui êtes-vous et pourquoi avez-vous tendu cette « chose » pour nous faire tomber? demanda Will.

— Cette « chose », comme tu dis, est une Olfara, et ce n'est pas nous qui l'avons placée sur votre route. Toutefois, l'Olfara vous a peut-être évité de gros ennuis.

— Olfara! répéta Will, intrigué.

— L'Olfara est un végétal rampant très résistant qui survit en suçant le sang de ses proies après les avoir étouffées. Mais, il n'en fut pas toujours ainsi. Avant l'avènement malheureux du Bizantium, c'était une ravissante plante grimpante, aux fleurs multicolores, qui se déplaçait seulement la nuit.

« Quant à nous, on nous surnomme les Razemottes à cause de notre petite taille. Je suis le chef et je me nomme Giôdo. Et vous, d'où venez-vous et que faites-vous dans la forêt des ombres? Êtes-vous des fugitifs? »

— Tout d'abord, merci pour votre aide. Ensuite, pour répondre à votre question, je suis Will Ghündee et voici mon amie Catherine. Nous cherchons à rejoindre les plaines de Nahala le plus vite possible. Sommes-nous dans la bonne direction?

— Les plaines de Nahala! répéta Giôdo. Jusqu'à présent je ne connais personne qui ait pu sortir de la forêt des ombres. Cette forêt ne fait pas de cadeaux et j'ai bien peur qu'avant la nuit, elle ne vous ait créé pas mal d'ennuis.

— Pourquoi? interrogea Catherine, peu rassurée par les propos du minuscule humanoïde.

— Mais voyons, parce que si ce ne sont pas les Vampouz, ces voleurs d'âmes, qui ont votre peau, ce sera assurément les Môglishs ou encore les Drômes, capables de revêtir n'importe quelle forme pour vous capturer. Ces derniers auront vite raison de vous, grâce à leurs terrifiants pouvoirs! Et, impossible de les voir venir, ils sont comme le vent, précisa Giôdo.

— Un certain Kroco nous a mis en garde à propos des Môglishs. Pour ce qui est des Drômes, je crois savoir de quoi vous parlez, répondit Will.

— Tu prétends connaître Kroco? Prends garde à cet imposteur! conseilla Giôdo. Il est pire encore que les Môglishs. Obnubilé par le désir de devenir un Koudish à part entière, il pactisa jadis avec notre ancêtre et faux frère Emlish. Ce qui causa la perte d'un grand nombre d'entre nous.

— Vous n'avez plus à vous faire de soucis à propos d'Emlish et de sa bande de spectres. Ils ont eu leur leçon au moment où le Bizantium a été détruit, assura Will.

— Quoi! Que dis-tu? Le Bizantium détruit? bredouilla Giôdo. Mais c'est incroyaaaaable!

Suspendus aux lèvres de Will, Giôdo et ses frères, les yeux écarquillés, écoutèrent avec attention le résumé que celui-ci leur fit des derniers événements.

— Frères Razemottes, le temps me manque hélas pour vous donner tous les détails, mais soyez sans crainte, vous ne les reverrez pas de sitôt!

— Qui es-tu réellement, Will Ghündee? Qu'est-ce qui se cache sous cette enveloppe de chair? s'informa Giôdo encore sous le choc.

— Je ne suis qu'un simple humain à qui le Grand Esprit a fait don de certains pouvoirs qui me permettent en cas de danger de préserver ma vie et parfois celle des autres.

— Eh bien, Will, je crois que tu viens de trouver en ces petits hommes de nouveaux alliés, déclara Catherine en voyant ces derniers discuter entre eux avec animation.

— Will Ghündee, ce serait un honneur pour nous, Razemottes, de te guider jusqu'aux limites de la forêt des ombres. Pour le reste, tu devras te débrouiller tout seul car nous ignorons comment quitter cet endroit maudit.

— Mais, comment allez-vous faire? Nous ne pouvons tout de même pas avancer à quatre pattes. À moins que nous vous portions sur nous, chuchota Will.

— Qui parle d'avancer à quatre pattes ou de nous porter? lâcha Giôdo.

En une fraction de seconde, Will et Catherine, toujours allongés sur le sol, furent obligés de regarder vers le haut pour s'adresser à leurs interlocuteurs qui venaient soudain d'atteindre une taille tout à fait raisonnable.

— Mais... vous êtes de véritables Koudishs! s'exclama Will en se relevant.

— Bien sûr! Qu'est-ce que tu croyais? lança Giôdo.

Le Razemotte fixait intensément l'épée de Will, dont les pierres émirent un bref éclat lumineux, comme si l'arme les saluait, lui et ses frères.

— Tu as là une bien belle arme! lâcha Giôdo.

Puis, s'arrachant à sa contemplation, le petit Koudish reprit :

— Toutes les créatures que tu rencontreras sur ce continent, mis à part ce Kroco de malheur, sont d'anciens Koudishs. La seule chose qui les différencie, c'est le camp qu'ils ont choisi, jadis. Sache que toutes ces créatures maléfiques sont d'anciens suppôts d'Emlish qui, ayant survécu au Bizantium, ont ensuite abandonné leur chef avant le fatal dénouement qui détruisit notre peuple et notre belle cité.

« À la suite d'une exposition prolongée au Bizantium, nos anciens frères sont devenus des monstres immortels ou presque.

« Une fois en liberté, les effets pervers du Bizantium augmentant leur instinct de chasseurs et leurs capacités, ils devinrent avec le temps de terribles prédateurs. Quant à nous, nous descendons des rares survivants ayant échappé à Emlish lors de la grande rébellion.

« Cachés dans la forêt, nos ancêtres devinrent, au fil du temps, à cause de leurs pouvoirs déficients, des Razemottes. Ce qui nous a permis de survivre depuis la malédiction qui frappa le Guibök. Nos capacités de transformation ainsi altérées par le Bizantium, en cas de danger, au lieu de disparaître comme avant, nous rapetissons. Mais, grâce au ciel, notre physique n'en a pas trop souffert, déclara Giôdo en se redressant fièrement comme l'aurait fait Markus. »

Ce qui déclencha un éclat de rire général.

— Puis, reprit ce dernier un peu plus humblement après avoir lancé autour de lui un regard qui fit cesser les moqueries, au ras du sol, personne ne nous détecte. Tantôt dissimulés sous une feuille, tantôt cachés sous une racine, nous passons totalement inaperçus.

— C'est chouette! fit Catherine. Comme ça vous pouvez échapper à vos ennemis.

— C'est exact! Cependant, certains de nos frères, devenus par la force des choses des Môglishs ou encore des Drômes, se sont révélés de redoutables chasseurs. Ils nous traquent sans relâche, n'attendant que le moment propice pour attraper l'un d'entre nous afin de le dévorer. Ils croient, à tort bien entendu, qu'en mangeant leurs anciens frères, qui ont conservé l'aspect koudish, ils conjureront le sort et retrouveront leur apparence originelle avec, en prime, la vie éternelle.

Après un court silence Giôdo reprit :

— Will Ghündee, comme je te l'ai dit, nous allons vous guider, toi et ta compagne, aussi loin que nous le pourrons, jusqu'aux confins de la forêt, afin que vous puissiez ensuite atteindre les plaines de Nahala. C'est le moins que nous puissions faire pour aider celui qui a vaincu Emlish et sa bande. Puisse le Grand Esprit nous préserver des créatures maléfiques qui habitent ces lieux. Sachez toutefois qu'en cas de danger notre système de défense nous fait rapetisser automatiquement. Vous ne pourrez donc compter que sur vous-mêmes pour échapper au danger et trouver le chemin conduisant aux plaines lunaires.

— Je comprends ça, Giôdo, vous n'avez pas à vous justifier. Conduisez-nous seulement le plus loin possible et nous ferons le reste, assura Will, confiant.

La petite troupe se mit aussitôt en marche à pas feutrés à travers bois.

14

Le courageux laideron

Guidés par le flair des Razemottes, Will et Catherine parcoururent sans encombre une bonne distance. Leur connaissance approfondie des lieux permit d'éviter la plupart des endroits fréquentés par les Môglishs. Les nouveaux compagnons en profitèrent pour faire connaissance. Chemin faisant, Will expliqua en détail à ses nouveaux amis comment il était parvenu à vaincre Emlish et sa bande. Il leur révéla également l'existence de leurs frères koudishs habitant la forêt d'Holdafgërg.

Ceci réjouit Giôdo et ses frères et leur redonna espoir en une vie meilleure. Depuis l'annonce de la mort du maléfique Emlish et de la destruction du Bizantium, les Razemottes semblaient résolus à chercher la sortie de la forêt des ombres et à tenter, après leur croisade avec Will, de regagner la cité, libérée de ses habitants indignes, avec l'espoir d'y refaire leur vie.

Puis, tout à coup, au moment de franchir une petite clairière, les marcheurs se retrouvèrent encerclés par une demi-douzaine de Môglishs qui surgissaient du cœur même des gros arbres qui les entouraient.

— Alerte! Les Môglishs! s'écria Giôdo qui, en un claquement de doigts, rapetissa, imité par ses frères, et disparut dans les sous-bois.

Will se rapprocha aussitôt de Catherine.

— Catherine, restons ensemble, quoi qu'il arrive, recommanda Will en dégainant doucement son arme dont les pierres accrochèrent le peu de clarté disponible.

Cloué sur place par l'arrivée de ces créatures hideuses, Will, dos à dos avec Catherine, se mit à faire tournoyer son épée. Tout à coup, il aperçut Giôdo, à ses pieds.

— Will Ghündee! Prends garde aux morsures des Môglishs. Leur agressivité n'a d'égale que leurs redoutables capacités à se servir de leurs pouvoirs d'invisibilité. Sois prudent mon ami et que le Grand Esprit te garde! Adieu!

Puis, le minuscule Koudish se fondit de nouveau dans les sous-bois.

Les cannibales qui les encerclaient se mirent à pousser des hurlements syncopés. Des cris au loin ne tardèrent pas à leur répondre, annonçant l'arrivée imminente de leurs congénères.

L'allure de ces créatures, qui leur arrivaient à peine aux hanches, n'avait plus rien à voir avec les sympathiques Koudishs que Will connaissait. Les Môglishs avaient un corps difforme et boursouflé d'excroissances, dont une grosse bosse dans le dos. Des touffes de poils hirsutes jaillissaient par les ouvertures de leurs loques. Ces dernières, résultats d'un rapiéçage maladroit de leurs anciens habits qui étaient devenus trop petits après leur métamorphose, semblaient gêner leurs mouvements. Dans leurs faciès déformés par la souffrance – générée par une trop longue exposition au Bizantium – la fente de leur bouche n'affichait, en guise de dents, que des chicots noirâtres.

— Écartez-vous de notre route! les somma Will, en resserrant sa prise sur son épée.

Mais soudain, alors qu'il cherchait à se frayer un chemin parmi eux, les Môglishs disparurent.

— Eh bien! Où sont-ils passés?

Catherine avait à peine terminé sa phrase qu'elle ressentit, en même temps que Will, des aiguilles de feu sur les jambes.

Ce dernier se ressaisit et, dos à Catherine, il se remit à tournoyer en faisant avec sa lame de grands moulinets.

Tout autour d'eux, retentirent alors de nombreux cris de souffrance. La stratégie avait fonctionné : les Môglishs atteints par l'épée de Will réapparurent soudain, puis s'effondrèrent sur le sol. Furieuses, les hideuses créatures restantes lancèrent alors une seconde charge invisible. Will, qui encaissait les coups de tous les côtés, commença à chanceler.

Pendant qu'il se débattait avec ses ennemis invisibles, Catherine fut prise à partie par deux Môglishs enragés devenus visibles à cause de leurs blessures. Alors qu'elle criait en tentant de se débarrasser des petits monstres qui l'avaient tirée à l'écart et la mordaient aux jambes, un troisième Môglish surgit de la forêt et se rua sur ses frères. Sa charge en assomma un au passage, après quoi, il partit à la poursuite de l'autre. Catherine gisait par terre, terrassée par une vilaine blessure à la jambe.

Will, ayant tant bien que mal réussi à repousser l'attaque de ses ennemis invisibles, se précipita au secours de son amie.

Malgré les nombreuses morsures qui le faisaient souffrir, Will releva Catherine et, se plaçant de nouveau dos à dos avec elle, il se remit en position de défense. Déjà d'autres Môglishs arrivaient à la rescousse de leurs congénères.

— Je crois qu'ils vont nous avoir à la longue. Que pouvons-nous faire devant tant de hargne et de méchanceté? dit Catherine en se tenant la jambe.

La crainte que ressentait Catherine attisa l'instinct protecteur de Will. Il ferma les yeux et il ne lui fallut que quelques instants pour faire le vide. Faisant alors appel à toutes ses forces mentales, il sollicita ses sens comme le ferait un guerrier avant la bataille. Dès que l'ennemi fut assez près, et bien qu'il gardât les yeux fermés, Will arriva, en se concentrant, et malgré l'invisibilité de ses adversaires, à distinguer des formes vagues qui s'approchaient de lui. Fort de cette nouvelle vision, il asséna à ses ennemis des coups précis qui atteignaient chaque fois leur cible.

Persuadé d'avoir gagné la bataille, les Môglishs étant tombés les uns après les autres, Will sortit de sa transe. En rouvrant les yeux, il vit Catherine aux prises avec deux Môglishs qui se la disputaient.

Alors que l'un d'eux allait la mordre, Will, qui s'amenait en trombe pour la secourir, vit de nouveau un Môglish rappliquer à toute vitesse. Ce dernier se jeta sur ses frères et les repoussa vivement pour ensuite faire bouclier devant Catherine.

Un violent combat s'ensuivit alors, auquel Will mit fin en fendant l'air d'un grand coup d'épée.

— Vous en voulez encore!

Les deux premiers disparurent dans les sous-bois sans demander leur reste, alors que le dernier arrivé ne bougea pas. Il fixait Will de ses grands yeux jaunâtres striés de vaisseaux sanguins. Puis se plantant devant Will et, au risque de recevoir un coup d'épée, la créature continua bravement sa protection devant Catherine, tout en grognant comme un chien qui défend son os. Devant ce qu'il interpréta comme une menace, Will s'élança, son arme à la main. Alors qu'il allait frapper le Môglish, il fut stoppé dans son élan par le cri de Catherine :

— Non, Will! Attends!

— Ces créatures sont dangereuses! On ne peut pas leur faire confiance!

— Celui-ci n'est pas méchant, c'est la deuxième fois qu'il vient à mon secours! plaida-t-elle.

Son compagnon baissa son arme, intrigué à son tour par le petit être qui osait le défier pour protéger sa prisonnière.

— Qui es-tu? demanda Will sur un ton sévère.

— Je crois qu'il ne comprend pas, répliqua Catherine.

Alors qu'elle dévisageait le petit être, elle vit celui-ci baisser les yeux, apparemment incapable de soutenir son regard.

— Qui es-tu? Réponds, Môglish! ordonna Will avec du feu dans les yeux.

Après un drôle de couinement, une voix douce déclara :

— Je suis Ômod et je ne veux pas de mal aux étrangers. Ômod n'est pas d'accord avec le comportement de ses frères. C'est pourquoi Ômod fait bande à part.

Alors que Catherine le dévisageait, deux grosses larmes laissèrent une trace brillante sur les joues noircies du petit Môglish.

— Mes frères m'accusent de croire en la beauté et en la bonté. Ômod, lui, est persuadé que, malgré ses mauvais agissements de jadis, un miracle peut encore survenir. Un jour, le Grand Esprit pardonnera à Ômod ses bêtises passées, déclara le Môglish dont les yeux, maintenant, roulaient dans l'eau.

— C'est sans doute pour cela qu'il est moins laid que ses frères. Il croit en la beauté et c'est ce qui lui advient avec le temps, conclut spontanément Catherine touchée par le plaidoyer de son mystérieux protecteur.

— Vous croyez, princesse? fit Ômod en essuyant ses yeux du revers de son poignet.

— Oui, j'en suis sûr! Et, pour ton information, je ne suis pas une princesse, gloussa Catherine.

— Oui princesse, vous êtes! Vos yeux et votre grande beauté me le confirment! rétorqua Ômod en s'inclinant devant elle.

— Tu es gentil, Ômod. C'est le plus beau compliment qu'on m'ait fait jusqu'à présent.

— Bon, ça va la bagatelle, ironisa Will. Ce ne sont pas les belles phrases qui vont nous sortir de cette forêt. Nous devons encore atteindre les plaines de Nahala avant la tombée de la nuit. Toi Môglish, tu saurais nous y conduire?

— Peu de gens connaissent le chemin qui y mène, car il n'existe qu'une seule sortie. Mais Ômod lui sait où commence le couloir sombre du mont Oufad qui conduit aux plaines lunaires. Par contre, Ômod ne peut traverser la Jabura.

— La Jabura? fit Will, étonné.

— Jabura signifie rivière de vérité. La Jabura protège les plaines lunaires des êtres maléfiques comme Ômod. Une fois, trois d'entre nous ont tenté de la traverser. Hélas, deux se sont liquéfiés dès qu'ils eurent mis le pied dans l'eau de vérité qui châtie.

— Et le troisième, demanda Will, intrigué, qu'est-il devenu?

— Le troisième, répondit le petit Môglish en baissant les yeux, il n'a pas osé, de peur de se faire châtier par la Jabura.

— Le troisième, c'était toi! N'est-ce pas, Ômod?

— Oui princesse...

— Pauvre Ômod. Tu subis un bien lourd châtiment, enfermé dans ce corps et prisonnier de cette forêt. Accompagne-nous. Qui sait, peut-être pourras-tu franchir la Jabura cette fois-ci, insista Catherine.

— Ômod va vous guider, princesse. Mais Ômod est indigne de franchir la rivière de vérité.

— Rappelle-toi toujours, Môglish : le Grand Esprit te connaît par ton nom, lança Will en fixant le petit être droit dans les yeux.

Sans mot dire, Ômod s'approcha de Catherine puis, d'un geste vif, attrapa sa jambe blessée. En voyant l'épée de Will venir se poser près de son oreille, il sursauta et se mit à trembler.

— Fais attention, Môglish. Je t'ai à l'œil.

Une fois rassuré, Ômod déchira de ses mains bosselées aux ongles noirs la partie du pantalon de Catherine qui collait à sa plaie. Après quoi, il se mit à lécher sa blessure. Aussitôt celle-ci commença à ressentir des picotements partout dans sa jambe puis, comme par magie, la profonde blessure disparut.

— Mais, comment arrives-tu à faire ça, Ômod? demanda Catherine, impressionnée.

— Nous, Môglishs, avons le pouvoir de guérir les plaies que nous infligeons quand elles ne sont pas mortelles. C'est le seul élément positif qui est resté de nos anciens pouvoirs, répondit Ômod en se dirigeant vers Will.

Surpris, Will abaissa son arme et le laissa s'occuper de ses multiples blessures.

— Merci mon ami! fit Will en voyant à son tour ses plaies disparaître. Bon, mais à présent nous devons partir.

Ômod qui avait pris les devants se retournait à l'occasion pour couvrir Catherine de regards admiratifs.

— Je crois que tu lui as tapé dans l'œil, la taquina Will tout en marchant.

— Ce n'est pas toujours la grandeur qui fait qu'on a le courage de ses sentiments, répliqua Catherine, en jetant à Will un regard en coin.

Cette remarque fit sourire le principal intéressé qui apprécia l'esprit de répartie de sa compagne. Pour lui faire voir qu'il avait bien compris le message, il lui prit doucement la main et lui murmura à l'oreille :

— Ton courage et la justesse de ton jugement m'impressionnent beaucoup.

15
Une leçon d'humilité

En arrivant à proximité d'un mont en forme de crâne qui trônait au beau milieu de la forêt, Ômod s'arrêta soudain, la figure inquiète et les yeux écarquillés.

— Qu'y a-t-il, Ômod, tu ne te sens pas bien? demanda Will.

Mais, malgré son insistance, le petit Môglish restait immobile comme une statue. Seuls ses yeux bougeaient d'un côté à l'autre comme s'ils avaient détecté une présence obscure.

— Les Drômes nous guettent! Nous devons nous méfier, chuchota Ômod.

— Les Drômes? répéta Catherine en se rapprochant de Will.

— Restons bien groupés, conseilla ce dernier en voyant soudain l'horizon s'obscurcir.

La forêt des ombres sembla se refermer devant eux, comme si les arbres se multipliaient tout à coup, si bien que le mystérieux mont Oufad, leur unique porte de sortie, disparut à leurs yeux.

— Ils sont là. Ômod arrive à sentir leur présence par l'odeur particulière qui les précède, chuchota le petit Môglish.

Comme si sa dernière heure était venue, Ômod se plaqua craintivement contre la jambe de Catherine. Will, bien résolu à atteindre le couloir sombre coûte que coûte, fit signe à ses compagnons de reculer lentement. C'est alors qu'une voix résonna dans les bois :

— Traîtrrrrre à ta race! Tu as osé les conduire jusqu'ici! Prépare-toi à mourriiiir.

Ômod se cacha derrière Catherine. Elle-même se plaça prudemment derrière Will. Soudain un vent chargé d'une forte odeur de pourriture se leva. Cette brise malodorante fit virevolter les résidus éparpillés sur le sol. Les déchets en décomposition se mirent alors à tourbillonner et commencèrent à former quatre gigantesques entités vaguement humanoïdes.

Les Drômes, leur mutation achevée, s'avancèrent lentement vers eux en flottant au ras du sol, puis ils se répartirent autour de leurs nouvelles proies en poussant des grondements qui évoquaient le bruit du torrent frappant les rochers.

— Toi, dit l'un d'eux en désignant Will, tu as détruit plusieurs de mes frères qui ont, semble-t-il, sous-estimé tes pouvoirs. Pour cela je vais prendre ta vie et celle de tes amiiiiis.

— Drôme, je te propose un marché…

— Tu n'es pas en position pour marchander!

— Tu as peur! coupa Will sur un ton frondeur.

— Sache que les Drômes ne reculent devant rien! Nous sommes les maîtres du Guibök et des…

— Ouais, je sais, des éléments, le nargua délibérément Will.

Cette attitude désinvolte fit monter la colère du Drôme qui fit signe à ses congénères de se saisir de Catherine. Will s'avança vers lui l'épée en main et déclara plus sérieusement :

— Je te défie de me vaincre. Si tu y arrives, alors tu feras ce que tu veux de moi, à condition de laisser partir mes amis. Si c'est moi qui l'emporte, vous nous laisserez partir.

— Si tu gagnes, ce qui n'arrivera pas, mes frères vous ouvriront le passage menant aux plaines lunaires, répondit le Drôme, pressé de venger la mort de ses congénères.

— Marché conclu! pactisa Will.

— Non, Will, tu ne peux pas te sacrifier pour nous! lança Catherine.

— Ne t'inquiète pas pour moi, je sais ce que je fais. Restez à l'écart, rétorqua Will en rangeant son épée.

Voyant le géant de paillis s'élancer vers lui, Will ferma les yeux et ouvrit les bras afin de libérer son torse. Puis, en se concentrant, il fit appel à cette même force qui lui avait permis de vaincre les créatures de brouillard.

Cependant, loin de voir le Drôme disparaître en fumée, Will sentit plutôt une forte étreinte lui compresser la poitrine, lorsque le Drôme se mit à tourner lentement autour de lui. Sous l'effet de cette mystérieuse force, Will se retrouva cloué au sol, incapable de bouger. Le Drôme, tel un boa, s'enroula autour de lui, l'étouffant peu à peu.

Doté d'une puissance inouïe qui surclassait celle des créatures de brouillard que Will avait vaincues auparavant, le chef des Drômes se mit à tournoyer plus rapidement, entraînant Will avec lui dans sa maléfique spirale descendante. Lorsqu'il s'immobilisa enfin, Will avait presque entièrement disparu. Par ses mystérieux pouvoirs, son assaillant l'avait littéralement enfoncé dans le sol, lui comprimant du coup la cage thoracique au maximum.

Will, dont seule la tête dépassait, respirait avec peine. Il fut alors contraint de concéder la victoire. Une fois l'abandon déclaré, le Drôme délaissa sa forme sinueuse pour reprendre sa silhouette vaguement humanoïde. Il fit signe ensuite à ses frères de s'emparer de Catherine et d'Ômod.

— Occupez-vous d'eux! ordonna le maléfique chef.

Will, tout honteux d'avoir surestimé ses forces, lui jeta un regard furibond et se démena comme un forcené pour essayer de se sortir de sa fâcheuse position.

— Traître! Vous aviez promis de les laisser partir.

— Nous, Drômes, n'obéissons qu'à nos propres lois. Alors, tu peux toujours te lamenter sur ton sort, misérable humain, ça n'y changera rien. Je me demande d'ailleurs encore comment tu as pu éliminer mes frères, termina le chef, en s'avançant vers Catherine.

Mais Ômod ne l'entendit pas ainsi. Il se campa courageusement devant « sa princesse ». Hélas, le courageux petit Môglish fut violemment projeté dans les airs et il termina sa course contre un arbre où il s'assomma.

Gaël, mon ami! Qu'est-ce qui s'est passé pour que j'échoue aussi lamentablement?

La réponse ne se fit pas attendre. Will entendit, comme un vent frais qui souffla à son oreille, la voix rassurante de son compagnon céleste :

— Tout part du cœur, le siège des émotions, Will. Ce sont elles le déclencheur.

Alors qu'il luttait toujours désespérément pour se libérer, Will entendit Catherine, aux prises avec les Drômes, crier à l'aide. Il n'en fallut pas plus pour qu'il ressente une sourde colère qu'il canalisa et dirigea vers le siège de ses pouvoirs, provoquant ainsi le réveil de la mystérieuse force qui sommeillait en lui.

De son torse jaillit une intense lumière. D'un simple geste Will libéra ses bras puis bondit hors de son cercueil de terre pour finalement retomber sur ses pieds devant les Drômes ébahis. Le chef de ceux-ci se rua alors dans sa direction pour lui resservir la même médecine que précédemment, mais, avant même qu'il puisse recourir à sa redoutable forme sinueuse, Will le prit à bras le corps et le serra contre lui de toute ses forces. Quand le rayon sortit de nouveau de son torse, la malfaisante créature fut pulvérisée, au grand déplaisir de ses congénères.

Sur sa lancée, Will courut vers Catherine, mais les trois Drômes restants lui bloquèrent aussitôt le passage. Mal leur en prit car il leur fit subir le même sort que leur chef. Quand il se retrouva devant Catherine, celle-ci bondit dans ses bras. Après un moment de gêne ils délaissèrent leur étreinte pour porter secours à Ômod qui gémissait au pied de l'arbre.

— Brave Ômod! Il s'est dressé devant eux pour me protéger. J'espère qu'il n'est pas gravement blessé. Allons, Ômod, réveille-toi, insista Catherine en lui tapotant les joues.

N'obtenant aucune réponse mais constatant que son pouls battait régulièrement, Will le prit dans ses bras et ils s'empressèrent de rejoindre le mont Oufad, à nouveau visible.

Quand ils arrivèrent à destination, quelle ne fut pas leur déception de se retrouver devant une énorme butte de terre recouverte d'herbes jaunies.

— Il nous a raconté des histoires! lâcha Will en déposant le Môglish sur le sol. Je ne vois ici aucun couloir sombre.

— Je suis sûre que non, intervint Catherine. Il doit forcément y avoir une issue puisque Ômod nous a parlé de la Jabura.

Des gémissements plaintifs vinrent interrompre la discussion.

— Regarde, Will, il revient à lui.

— Ômod! Ça va? Montre-nous le passage. Il ne nous reste que très peu de temps.

— Le passage? Mais quel passage? rétorqua le Môglish, encore sonné.

— Il ne manquait plus que ça! Alors que nous sommes à deux doigts de quitter cette forêt de malheur, il faut qu'il perde la mémoire! s'emporta Will, en donnant un violent coup de pied à une pierre.

Celle-ci vola en direction du mont Oufad et disparut brusquement.

— Vous avez vu ça? s'exclama Will.

— Ça alors, c'est incroyable! renchérit Catherine. La pierre... elle a continué sa trajectoire

sans jamais rien percuter et elle s'est volati-
lisée!

— Ça y est, ça me revient! s'exclama Ômod.

Il se leva, tout joyeux, et courut vers le mont
dans lequel il disparut lui aussi pour réapparaître aussitôt. Non sans un brin de fierté, il
invita ses amis à le suivre.

— Décidément, ce continent est vraiment
bizarre. Qu'est-ce que j'ai hâte de revoir ce cher
Mont-Bleu! Pas toi, Catherine?

— Je suis surtout contente de quitter cette
forêt! répondit cette dernière alors qu'ils fran-
chissaient la porte invisible donnant accès au
couloir sombre.

De l'autre côté, ils découvrirent le passage
qui menait aux plaines de Nahala. C'était une
étroite faille d'à peine cinq pieds de hauteur et
qui allait en se resserrant vers le haut. Guidé par
la forte luminosité en provenance de l'extrémité
opposée, Ômod s'y faufila habilement grâce à
son petit gabarit, suivi de Catherine qui, avec sa
taille fine, y parvint, elle aussi, sans trop de dif-
ficultés.

Pour Will, les choses se compliquèrent. Avec
son large torse et sa stature, il ne put s'engager
debout dans le passage, il dut se mettre à ramper

sur le côté dans la partie du couloir la plus large. Après avoir longé les parois un bon moment, il atteignit enfin la sortie à l'air libre. Sous un ciel radieux, contrastant avec l'éternel grisaille du Guibök, les trois compagnons prirent la direction des plaines de Nahala.

— La princesse et son chevalier ont vaincu! lâcha triomphalement Ômod, fort heureux d'avoir pu aider ses nouveaux amis à fuir la sinistre forêt des ombres.

— Oui! Et c'est grâce à toi, rétorqua Will en faisant au Môglish un large sourire.

Il se retourna vers Catherine pour lui faire un clin d'œil complice. Celle-ci en rajouta :

— Émus par ton courage, les Drômes ont décidé de nous céder le passage.

— C'est vrai? C'est vraiment incroyable!

— Oui Ômod, tu es un héros! Maintenant peux-tu nous indiquer où se trouve le mont Éterna?

Après cette étonnante révélation, Ômod se redressa fièrement. Un sourire radieux illumina son visage ingrat. En pointant la cime d'une énorme montagne qui émergeait à l'horizon, il s'exclama :

— L'Éterna! Mais… il est là-bas!

16

Jabura, l'énigmatique

Malgré la faim et la fatigue, le petit groupe foulait avec ravissement le sentier menant aux plaines lunaires, ainsi surnommées en raison de la vue sur les deux lunes que l'on avait de cet endroit. Catherine, qui avait pris soin de ramasser quelques fruits dans la vallée secrète de Milrod, en offrit à ses compagnons de route qui s'en régalèrent en attendant mieux.

Après une assez longue marche sur ces terres de sable blanc et de cailloux ronds où s'élevaient parfois des touffes de verdure avec au centre des fleurs rouges aux formes variées, leur route fut coupée par la Jabura qui protège la majeure partie des plaines de Nahala et son fabuleux mont

Éterna. Comme la nuit tombait, ils crurent plus sage de s'installer au bord du mystérieux cours d'eau.

Allongés côte à côte, ils admirèrent les lunes jumelles qui, de cet endroit, paraissaient à portée de main tant elles étaient énormes.

— On dit que la rivière pleure la nuit, révéla Ômod, fasciné par le miroitement lumineux de l'eau.

— La rivière pleurerait? releva Catherine.

— Selon la légende, la Jabura serait hantée par une déesse qui, par moments, laisserait échapper des murmures plaintifs. Elle pleurerait, à ce qu'on raconte, sur la folie de nos ancêtres qui ont détruit le Guibök, affirma Ômod.

— Hé, regardez ça! s'exclama Will en se redressant.

Un premier arc-en-ciel nocturne venait d'apparaître au-dessus de la Jabura, bientôt suivi d'un second qui vint croiser le premier. Le ciel s'illumina de radieuses lueurs multicolores.

— Ce que c'est beau! s'émerveilla Catherine. On dirait que les plaines lunaires nous offrent un spectacle de bienvenue.

Après un ballet nocturne somptueux, les deux arcs lumineux commencèrent lentement à s'estomper. Les trois compagnons furent alors pris d'une irrésistible envie de dormir. Bercés par le clapotis rassurant de l'eau qui suivait son cours dans une danse sonore immuable, ils tombèrent endormis, épuisés par la trépidante journée qu'ils venaient de vivre.

☽ ☆ ☾

Aux premières lueurs de l'aube, Will émergea d'un sommeil réparateur. Il se redressa en se frottant les yeux et vit Ômod, debout, immobile au bord de la rivière, le regard fixe.

— Catherine! Il faut se réveiller. Nous avons encore une longue route à faire et le temps nous est compté...

— Bonjour, Will, tu as bien dormi?

Puis, apercevant à son tour le petit Môglish, planté au bord de la Jabura comme une statue, Catherine demanda :

— Qu'est-ce qu'il a?

— Je l'ignore. Il était déjà comme ça quand je me suis réveillé.

— Que se passe-t-il, Ômod? interrogea Catherine en s'approchant doucement du Môglish qui fixait la rivière, les yeux rougis par les larmes.

— À mon grand regret, Princesse, c'est ici que se termine ma route auprès de vous. Ômod aurait tant aimé pouvoir vous accompagner.

— Mais, qui t'en empêche, Ômod? La Jabura? Bah, je suis certaine que tu peux la traverser. Aie confiance, mon ami. Je suis sûre que ton cœur a été purifié par les gestes héroïques que tu as posés récemment, plaida Catherine qui n'acceptait pas l'idée de se séparer de cet attachant petit compagnon.

— Vous êtes gentille, princesse. J'aimerais tellement vous croire, mais Ômod sait que s'il met le pied dans la Jabura, c'est la mort certaine. J'entends encore les cris d'agonie poussés par mes frères. Ils croyaient eux aussi pouvoir franchir la rivière qui châtie.

— Catherine, excuse-moi de te presser dans un moment pareil, mais nous devons absolument partir, insista Will. Merci mille fois pour ton aide, Ômod, et que le Grand Esprit te garde, déclara Will.

Il posa une main fraternelle sur l'épaule de leur petit compagnon et s'immergea ensuite dans la Jabura qui à cet endroit ne faisait pas plus de trois pieds de profondeur.

— Adieu, mon cher Ômod! Jamais nous n'oublierons ce que tu as fait pour nous, rajouta Catherine avec tristesse.

Après avoir déposé un baiser sur sa joue, elle attrapa la main de Will et s'engagea à sa suite dans le mystérieux cours d'eau.

Au moment où Catherine allait atteindre le milieu de la rivière, elle fut tirée avec force vers le fond. Will, qui la tenait mollement, sentit sa main lui échapper. Il rattrapa celle-ci de justesse tandis que sa compagne disparaissait sous la surface. La force d'attraction de la Jabura était telle que Will avait peine à lui tenir la tête hors de l'eau.

— Non, princesse! Accrochez-vous! Ômod vient vous sauver.

Dans un élan de courage héroïque, le petit Môglish plongea dans la rivière pour prêter main-forte à Will. À tous les deux ils réussirent à vaincre la force d'attraction et à sauver Catherine de la noyade.

Dès qu'ils eurent atteint l'autre rive, Will et Catherine virent Ômod aspiré à son tour vers le fond. Sous les yeux horrifiés de ses amis, il disparut dans un grand remous.

— C'est de ma faute! Il s'est sacrifié pour moi! se culpabilisa Catherine.

— Tu n'y es pour rien, Catherine. C'est lui qui a pris sa décision. C'était son destin, répondit Will pour la consoler.

Ce dernier, également attristé par la disparition de l'attachant petit Môglish, reprit après un bref silence.

— Il faut y aller à présent. Pour l'amour de mon père et de Kiröd, nous devons continuer et atteindre l'Éterna.

Catherine s'essuya les yeux, puis elle sortit de sa poche son précieux pendentif et, après un moment d'hésitation, elle le jeta dans la rivière tout en récitant une sorte de prière :

— En hommage au plus courageux des chevaliers servants. Repose en paix, mon brave Ômod.

Puis, elle reprit avec du feu dans les yeux :

— Cette fois-ci, Jabura, tu t'es royalement trompée! Tu as châtié un être bon qui avait déjà payé sa dette.

Après quoi elle tourna les talons pour reprendre la route avec Will. Mais ils n'avaient pas fait dix pas que d'étranges murmures semblables à des lamentations se firent entendre.

— Tu as entendu ça, Catherine? Tu n'aurais peut-être pas dû apostropher la rivière...

Toujours aussi curieux, Will revint sur ses pas et s'approcha précautionneusement du cours d'eau qui bouillonnait à présent comme le ferait la grosse marmite de Kiröd.

— Qu'est-ce qui se passe? demanda Catherine qui choisit de rester sagement à l'écart.

— Je n'en sais rien, mais ne restons pas ici.

Au même moment, la rivière rejeta sur la berge un petit corps inerte qui tenait dans sa main crispée le médaillon de Catherine.

Will se précipita aussitôt au chevet du noyé.

— Mais... c'est un Koudish!

Il l'étendit sur le dos et essaya de le réanimer. Tout à coup le petit être se mit à recracher de l'eau. Puis, il ouvrit les yeux, à la grande joie de ses sauveteurs.

— Qui es-tu? demanda Will au nouveau venu, qui ressemblait en tous points aux Koudishs du clan de Kiröd.

— Miracle… je suis vivant! Merci Grand Esprit de ne pas m'avoir oublié! s'exclama l'inconnu allongé au sol.

— Comment t'appelles-tu? interrogea à son tour Catherine.

— Mais, princesse, vous ne me reconnaissez pas? lâcha le rescapé d'un air déçu.

— C'est toi, Ômod? demanda Catherine, perplexe.

— Oui princesse, c'est bien Ômod! Mais qu'y a-t-il?

— Je crois que tu devrais aller voir ton reflet dans l'eau, suggéra Catherine.

Obéissant, Ômod s'approcha lentement de la rivière au-dessus de laquelle il se pencha pour ensuite bondir sur ses jambes.

— Ça y est! Il m'a pardonné! Le Grand Esprit m'a pardonné!

Le visage inondé de larmes de joie, le petit Koudish courait des bras de Catherine à ceux de Will.

— Qu'est-ce que je t'avais dit, Ômod? reprit Will, heureux de retrouver leur petit compagnon.

— Que le Grand Esprit me connaissait par mon nom, répondit Ômod en s'examinant sous toutes ses coutures.

— Tu peux remercier ta princesse, car c'est grâce à son intervention que tu te retrouves dans cet état.

Tandis qu'Ômod étreignait chaleureusement Catherine, Will en profitait pour lui attacher délicatement son pendentif retrouvé, en lui lançant un doux regard qui en disait plus que des paroles. Puis tout le monde se remit en route en direction du mont Éterna.

17
Un visiteur inattendu

Après une longue marche sur le sol blanchâtre parsemé de cailloux aux formes insolites, typiques des plaines lunaires, les trois compagnons s'arrêtèrent pour tenter de se restaurer.

Ômod avisant soudain une grosse touffe de plantes se précipita sur les fleurs rouges qui l'agrémentaient et sembla s'en délecter. Will et Catherine, que la faim tenaillait également, décidèrent d'imiter son geste.

— Hum! C'est très bon! s'exclama Will. Ça a un peu le même goût que le miel de trèfle.

Catherine se dirigea ensuite vers un second îlot verdoyant pour faire provision de ces fleurs délectables.

Grâce à ces végétaux aux propriétés nutritives insoupçonnées, ils purent non seulement calmer leurs estomacs affamés, mais se sentir rassasiés comme après un bon repas. Une fois repus, les trois compères prirent le chemin du mont Éterna.

— Will, tu sais ce qu'on dit à propos de cette montagne, lança Ômod.

— Non! Quoi?

— On dit qu'elle cache un secret et que n'accède pas à son sommet qui veut.

— Ce qui signifie?

— Que seuls ceux qui seraient jugés dignes d'atteindre le sommet se verraient révéler son secret. Les autres y trouveraient la mort. Enfin, je crois que c'est une légende racontée par les vieux sages pour tenir les jeunes Koudishs éloignés de cette région inexplorée.

— Nous verrons bien une fois sur place, rétorqua Will.

Ômod, limité par ses petites jambes, n'arrivait plus à tenir la cadence d'enfer imposée par Will. Il se mit à traîner de la patte, derrière. Puis, complètement épuisé, il s'arrêta pour reprendre son souffle.

— Attends, Will! Ômod n'en peut plus.

— On devrait prendre une pause, intervint Catherine qui elle aussi peinait à suivre.

— Prendre une pause? Mais c'est impossible. Le temps nous manque. Je dois atteindre le sommet de cette montagne et y avoir cueilli la Nymphe des neiges avant le lever du jour. Et cela sans savoir si ses flancs sont accessibles.

Sur ces mots, Will attrapa Ômod, le jucha sur ses épaules et se remit en route, nullement incommodé par le poids de son passager.

Soulagé, le petit Koudish, qui jouissait d'une vue imprenable, lança à Catherine un sourire empreint de gratitude.

Finalement, au bout d'une marche forcée interminable, ponctuée de courtes pauses, ils arrivèrent aux pieds de l'Éterna. À la vue de cette impressionnante montagne dont la cime blanchie par les neiges éternelles se perdait dans les nuages, Catherine devint soudain perplexe.

— C'est d'une hauteur à vous couper le souffle. Tu es sûr de pouvoir atteindre le sommet à temps?

— Il le faut! répliqua Will, fermement résolu.

Mais les flancs de l'Éterna, hérissés de rochers aux arêtes coupantes, furent loin de leur faciliter la tâche.

— Aïe! cria tout à coup Catherine qui venait de s'infliger une profonde coupure à la main.

Accourant au secours de son amie, après avoir déposé Ômod, Will déchira des lambeaux de tissu dans le bas de sa chemise qu'il installa sur la plaie en un bandage serré pour arrêter le saignement.

— Ômod! Je vais continuer l'ascension seul. Reste ici en compagnie de Catherine. Je compte sur toi pour la protéger durant mon absence.

— Parole de Koudish, Will. Avec Ômod, la princesse est en sécurité.

Voyant son fidèle compagnon reprendre aussitôt sa laborieuse ascension, Catherine lui cria de loin :

— Sois prudent, Will! Et reviens-nous viiiiite!

Éterna me voilà! Je compte bien atteindre ton sommet coûte que coûte!

☽ ☆ ☾

Quand il eut dépassé la mi-hauteur, les rochers lui parurent moins coupants, glacés qu'ils étaient par le froid qui régnait à cette altitude. Les mains gelées, Will continua néanmoins sa montée vertigineuse. Il prenait à l'occasion de courtes pauses et en profitait pour souffler dans ses mains pour les réchauffer. Alors que l'ascension devenait plus ardue, Will aperçut sur sa droite une sorte de petit sentier inégal encombré de pierraille. Ce dernier, taillé dans le roc, longeait un vide impressionnant et semblait contourner la montagne en une longue spirale ascendante.

Plus il montait, plus le vent glacial le pétrifiait, l'obligeant à ralentir sa cadence. Alors qu'il atteignait le dernier quart de son ascension, un grondement sinistre retentit et un vent chargé de neige se mit à souffler en rafales. En peu de temps, ce blizzard, en provenance de la cime, réduisit presque à néant la visibilité.

Will, frigorifié de la tête aux pieds, luttait de toutes ses forces pour garder le cap. Soudain il reçut comme un coup de massue sur le derrière de la tête. Déséquilibré, il se retrouva suspendu entre ciel et terre, les mains accrochées au bord du petit sentier. En tournant la tête pour voir d'où était venu ce coup violent, il vit, perçant le brouillard, une masse noire qui arrivait droit sur lui.

Il eut juste le temps de se rétablir et de rouler sur le côté pour éviter la seconde charge. À ce moment, Will reconnut son ennemi juré, l'infâme Kroco, qui venait assouvir sa vengeance. Incapable d'arrêter son élan, l'homme-oiseau vint percuter la paroi de roc. Toutefois, en deux coups d'ailes il reprit son aplomb et attaqua Will à grands coups de bec. Voulant sortir son épée à la hâte, Will fut incapable, avec ses mains engourdies, de raffermir sa prise sur la poignée. L'arme tomba et glissa, quelques pieds plus bas, dans une petite crevasse.

Après avoir encaissé plusieurs coups vicieux de la part du volatile déchaîné, Will parvint à l'ébranler d'un solide coup de pied à la tête. Sonnée, la créature voleta vers les hauteurs en glatissant et en injuriant Will. Profitant de ce court répit, celui-ci se glissa jusqu'à la crevasse où reposait l'épée. Mais, au moment de la reprendre, il reçut dans le dos un violent coup de bec qui lui transperça les chairs.

Aussitôt Will eut une vision prémonitoire dans laquelle Kroco plongeait rapidement vers lui et lui transperçait la gorge. Poussé par son instinct de survie et maintenant averti de la partie visée par la prochaine attaque, Will parvint enfin à saisir son épée. Alors que le noir volatile effectuait un nouveau plongeon, il se retourna d'un geste vif tout en appuyant la poignée de son arme contre la paroi de pierre. Puis, sans lâcher son épée il s'effaça sur le côté et la sinistre créature, ne pouvant freiner son élan à temps, vint s'embrocher sur la lame et mourut instantanément.

En remerciant le Grand Esprit, Will, malgré ses blessures, s'engagea dans la dernière portion de son ascension.

Lorsqu'il atteignit les neiges éternelles, Will, se servant de son épée comme d'un pic, tailla dans la glace de petites cavités afin de pouvoir se hisser jusqu'au sommet. Il y parvint finalement, complètement frigorifié, alors que la pénombre s'installait. Il s'arrêta pour réchauffer son corps en se fouettant à l'aide de ses bras et en sautant sur place. Toute trace de blizzard avait disparu. Profitant de ce point de vue unique, Will ne put s'empêcher d'admirer le splendide paysage qui s'offrait à lui.

Après tous ces efforts, il était enfin au sommet du mont Éterna! Avec soulagement, il repéra, bien protégées au creux d'un cratère naturel, les fameuses Nymphes des neiges. Comme l'avait prédit Gaël, sous l'effet des premiers rayons lunaires, les fabuleuses plantes se déployèrent soudain.

La Nymphe, d'un ocre vif, arborait en son centre un gros bouton rouge écarlate ressemblant étrangement à un petit cœur humain. Pressé de redescendre, Will empoigna, de ses mains engourdies, une Nymphe puis, alors qu'il s'apprêtait à la déraciner, il retint son geste en se remémorant soudain une partie de sa conversation avec Gaël :

« Dans leur pays d'origine pousse une plante très rare appelée par les Koudishs : Nymphe des neiges. Le Manoulia, le bouton de la Nymphe, est l'élément clé servant à concocter le seul antidote connu pouvant inverser le processus destructeur du Magimort vorace. »

Voilà qui règle mon problème. Je n'ai qu'à cueillir le bouton et laisser vivre, pour le peu de temps qui lui reste, cette fleur remarquable.

— Désolé, petite, mais j'ai grand besoin de ton cœur pour soigner mon ami Kiröd…

Will allongea le bras en direction de la Nymphe et, comme ses autres doigts ne répondaient plus, de son pouce il détacha le petit cœur rougeoyant en son centre. Il répéta l'exercice avec les autres plantes qu'il découvrit jusqu'à ce qu'il en ait une bonne quantité. Il mit ensuite, avec soin, les Manoulias dans sa poche de chemise.

Après quoi, sans perdre de temps, il sortit du petit cratère avec le dessein bien précis de rejoindre ses amis et de retrouver la forêt de Holdafgërg le plus tôt possible…

18

L'Éterna livre son secret

Will, affecté par de graves engelures aux mains, souffrant aussi de sa blessure au dos, souvenir du violent coup de bec du sinistre Kroco, tenait à peine sur ses jambes tant il était fatigué. Il avait entrepris la descente du mont Éterna depuis peu, lorsqu'il fit un faux pas, glissa et tomba dix pieds plus bas sur un escarpement rocheux. Incapable de bouger, plusieurs côtes cassées, souffrant le martyre dans tout son corps, Will ne respirait plus qu'avec difficulté.

Non! Pas si bêtement, alors que je touchais au but!

Avait-il surestimé ses forces et pris trop de risques? Bien malgré lui, Will fut contraint de renoncer à sa quête. Était-ce à cause de son pauvre corps qui n'en pouvait plus ou de la montagne qui se vengeait de sa conquête?

Avec le froid qui régnait à cette altitude, ses membres raidis se figèrent peu à peu. Il sentit son cœur battre de plus en plus lentement. En fermant les yeux, il revit en esprit certains moments heureux de sa vie. Curieusement, ces visions lui procurèrent un certain réconfort. Son anxiété, à l'idée de succomber au sommeil qui le rendrait à jamais prisonnier des flancs de l'Éterna sans avoir pu remplir sa mission, s'apaisa.

☽ ☆ ☾

À travers la fine couche de neige et de glace qui le recouvrait maintenant de la tête aux pieds, Will crut voir une lueur qu'il associa à celle de la vallée des morts. Jamais auparavant il n'avait vécu pareille expérience. Sachant sa fin proche, il se prépara à franchir le seuil fatidique, alors que la lueur blanche devenait de plus en plus intense.

Après une exposition prolongée à ces rayons radieux, et bien qu'il ne sentît plus son cœur battre, Will fut revigoré. À travers l'éblouissante lumière, il ressentit une présence rassurante.

« Je vous reconnais… Vous êtes le poseur de pierres! Mais, qui êtes-vous vraiment? Vous venez me chercher pour me conduire au royaume des morts? » pensa Will qui ne pouvait plus articuler.

Alors une voix puissante résonna par delà le mont Éterna :

— Je suis la montagne, je suis le Guibök meurtri, je suis le grand Tout! Tu as fait preuve de beaucoup de courage et de détermination. Apprivoise la force qui sommeille en toi pour le jour où tu auras peut-être à faire un choix crucial. Le temps de ta descente au royaume des morts n'est pas encore venu. L'amour d'un être cher y est pour quelque chose. Tu survivras et seras même plus fort qu'auparavant.

Alors que d'insolites chatoiements ondulaient dans la lumière, un visage féminin au sourire bienveillant commença à apparaître. À sa vue, Will se retrouva onze ans auparavant, à l'époque où ce visage s'était penché sur lui, tant et tant de fois, toujours avec le même amour.

— Mère? C'est bien vous?

Will se sentit inondé de rayons apaisants qui traversèrent sa poitrine et se frayèrent un chemin jusqu'à son cœur qui, soudain, se remit à battre avec régularité. Ensuite, l'image de la dame lumineuse commença à s'estomper.

— Will, mon enfant, j'ai toujours su que tu étais un être spécial. D'où je viens, on parle beaucoup de toi et de ton courage. Sache que je t'aime et que je serai toujours avec toi...

— Mère, mère, nous reverrons-nous bientôt?

— Pas encore mon fils, pas encore. Sois fort pour tous ceux qui espèrent en toi!

Lorsque l'apparition eut disparu, Will sentit que le sang circulait de nouveau dans ses veines et que les atroces douleurs qui vrillaient son corps s'étaient estompées.

Il se leva sans trop d'efforts. Courbatu, mais complètement remis de ses blessures, il entreprit d'un pas décidé la descente du mont Éterna.

☽ ☆ ☾

Aux premières lueurs de l'aube, Catherine et Ômod, installés au bas de la montagne, virent avec soulagement apparaître un Will au visage radieux qui reflétait une sérénité étonnante.

19
Un bien maigre repas

— Et puis, Will? Allez, raconte! Qu'est-ce qu'il y a là-haut? Qu'est-ce que tu as vu? Es-tu parvenu à atteindre le sommet? Est-il vrai qu'un esprit habite la montagne?

Mais Will qui semblait, depuis son expérience au sommet de l'Éterna, nager dans un état de bien-être, se contenta d'adresser un beau sourire à Ômod qui bouillait de curiosité.

— Tu ne veux rien nous dire? Allez, quoi! Dis-nous ce qui t'est arrivé là-haut, renchérit le petit Koudish.

— Tu perds ton temps, Ômod. Je le connais, il ne dira rien! répliqua Catherine.

Un seul regard lui avait suffi pour comprendre qu'une expérience hors du commun avait transformé son cher Will.

— Je suis choyé de vous avoir comme amis. Bientôt, nous atteindrons la forêt d'Holdafgërg, répondit simplement Will.

Après s'être reposé, Will avait invité ses compagnons à reprendre la route, sur les plaines lunaires, dans la direction opposée au mont Éterna. Au loin, apparurent bientôt plusieurs collines verdoyantes.

Ils atteignirent enfin les collines après une assez longue marche. Mais une désillusion attendait le petit groupe dès qu'ils les eurent contournées. Ils se retrouvèrent sur les bords d'une mer immense aux flots agités.

— Nous voilà bien avancés! lança Will, qui d'un seul coup avait perdu sa sérénité. Nous sommes piégés sur ce continent. Il n'y a aucune possibilité d'atteindre la forêt d'Holdafgërg.

— Tu ignorais que nous étions entourés d'eau, Will? Seuls les grands magiciens de l'époque arrivaient à quitter le Guibök et à franchir la mer d'Okval. Mes ancêtres s'y sont installés justement pour se protéger des dangers du monde extérieur, précisa Ômod.

Je ne peux pas croire que nous ayons fait tous ces efforts en vain. Je n'y comprends plus rien. Et Gaël qui me disait de garder la foi, mais la foi en quoi?

— Tu pourrais au moins nous montrer l'objet de ta quête, demanda Catherine pour détendre un peu l'atmosphère.

— Oui, montre-nous ce que tu es allé chercher au sommet de l'Éterna.

Pour apaiser la curiosité de ses compagnons, Will fouilla dans la poche de sa chemise et en extirpa les précieux Manoulias. Il sortit en même temps deux petites boules jaunes.

— Qui a faim? lança-t-il en exhibant les petits fruits que lui avait offerts Gaël.

— Tu n'iras pas loin avec ça, grimaça Ômod. Mangez-les, vous. Moi je n'ai pas très faim.

Will donna un fruit à Catherine et partagea le second à l'aide de son épée pour en offrir la moitié à Ômod. Ce dernier, touché par le geste, imita ses compagnons et l'avala d'un trait.

— Pouah! Que c'est mauvais! Tu veux nous empoisonner? se plaignit Catherine, prise de violents maux de ventre, tout comme Ômod qui se tenait l'abdomen en gémissant.

— Je ne comprends pas, se lamenta Will, affecté à son tour par des douleurs abdominales, Gaël ne peut pas m'avoir donné des fruits empoisonnés.

Incapable de secourir ses amis déjà inconscients, il finit, au bout d'un moment, par s'évanouir.

$$\text{☽ ☆ ☾}$$

Lorsqu'ils reprirent conscience, la douleur avait fait place à un sentiment de bien-être. Dès qu'il eut ouvert les yeux, Will s'exclama :

—. Mais je rêve! On a réussi! Gaël l'avait bien dit. Sacré Gaël, tu me surprendras toujours! jubila Will qui, fou de joie, se releva d'un geste rapide tout en cueillant au passage une grosse feuille d'amura pour en sentir les effluves.

— Que se passe-t-il? Où sommes-nous? demanda Catherine, surprise par le changement de décor.

— Nous y sommes, Catherine! Nous sommes dans la forêt d'Holdafgërg! s'exclama Will. Ce sont les fruits magiques de mon ami Gaël qui nous ont transportés ici.

— Mais où est donc passé Ômod? demanda Catherine. Ohé! Ômod! Où es-tu?

Une tête ébouriffée jaillit alors d'un fourré. C'était Ômod! L'air complètement perdu, il s'amena vers eux en titubant.

— Aïe, aïe, aïe! Ce que j'ai mal à la tête! se lamenta-t-il. Mais, où sommes-nous?

— Te voilà arrivé dans ton nouveau chez-toi, Ômod, claironna Will. Ici, c'est la forêt d'Holdaf-gërg où vivent les Koudishs du clan de Kiröd.

— Vrai! Tu es sérieux? rétorqua Ômod qui, en bondissant de joie, se lança contre Will et Catherine pour leur exprimer son bonheur. Hum, ça sent bon ici. Je pense que je vais m'y plaire.

Quand tout le monde eut recouvré ses esprits, Will s'engagea au cœur de la forêt profonde, dans ce qu'il pensait être la direction du village koudish.

Alors qu'ils marchaient depuis un bon moment déjà, d'inquiétants craquements retentirent non loin d'eux. Ômod bondit aussitôt dans un buisson. Catherine s'arrêta, inquiète, tandis que Will pouffait de rire.

— Qu'est-ce qui te faire rire? Ce sont peut-être des animaux sauvages…

— Soyez tranquilles, il n'y a ici que des êtres bons et, quelle que soit leur apparence, ce sont tous des amis, assura Will, alors que Jorsak et sa bande surgissaient devant eux.

L'arrivée impromptue des Zélottes fut loin de tranquilliser ses compagnons.

— Et ceux-là, tu les connais, Will? demanda Catherine en reculant doucement.

Ômod, qui avait sorti la tête de son buisson, la rentra précipitamment quand il vit le chef de la bande s'amener vers eux.

— Jorsak mon ami! Comme je suis heureux de te revoir. De plus, vous tombez bien, j'ai grand besoin de votre aide, déclara Will en lui serrant chaleureusement la main.

— Will Ghündee! Qu'est-ce qui nous vaut le plaisir de ta présence? répondit le chef des Zélottes. Que pouvons-nous faire pour toi?

— Moi et mes amis... Viens Ômod! n'aie pas peur! insista Will, en invitant son petit protégé à sortir de sa cachette. Nous devons nous rendre au village des Koudishs le plus rapidement possible car Kiröd est très malade. Je lui apporte l'antidote qui pourrait le sauver.

Après les présentations, les Zélottes, grâce à leur connaissance approfondie de la forêt, conduisirent la petite troupe au village koudish en peu de temps.

En franchissant le grand portail, ils furent étonnés du silence qui régnait dans cet endroit habituellement si animé.

— On arrive trop tard, Will, le village semble avoir été déserté, constata Jorsak.

— Allons tout de même voir ce qui se passe, suggéra Will.

Quand ils furent au milieu de la Grand-Place, ce dernier cria :

— Il y a quelqu'un? Ohé! Markus! Yolek!

En peu de temps la place se remplit de Koudishs, sortis des petites habitations adjacentes. Des Koudishs au teint pâlot et aux yeux tristes. Ceux-ci les entourèrent et leur réservèrent un accueil mitigé. Mais Will, compte tenu des circonstances, ne s'en formalisa pas, il se fraya plutôt un chemin à travers la foule. Tout à coup, il vit apparaître celui qu'il considérait comme un véritable frère.

— Markus, mon ami. Te voilà enfin! Où est Yolek?

— Will! Je suis content de te revoir, mais que viens-tu faire ici, et comment as-tu fait pour arriver jusqu'à nous?

— C'est une bien longue histoire et le temps nous manque si nous voulons sauver Kiröd!

— Sauver Kiröd? J'ignore comment tu peux être au courant de l'état de santé de notre vénéré chef, mais je crains que tu n'arrives trop tard, mon ami. Malgré tout l'amour dont je te sais capable, Kiröd est mourant et sa maladie est incurable. Seul un miracle pourrait stopper le...

— Magimort vorace? coupa Will. Je sais tout, et j'ai sur moi le seul antidote capable de stopper le mal et de permettre à ce cher Kiröd de recouvrer la santé. Mais dis-moi, où donc est Yolek?

— Il n'a pas voulu quitter le maître, et cela depuis le début de sa maladie. Il le veille sans boire ni manger et il n'a pas dormi depuis bientôt deux jours. Le pauvre! J'ai peur qu'il ne suive notre chef dans la mort si nous n'arrivons pas à le raisonner.

— Nous allons nous occuper de ça tous les deux, mais avant toute chose, je tiens à présenter à tout le peuple koudish mon amie Catherine ainsi que l'un des vôtres qui se prénomme Ômod. Allez, viens Ômod. N'aie crainte, ce sont de vrais Koudishs qui, tout comme toi, se réclament des ancêtres qui ont réussi à fuir le Guibök.

Ômod fut accueilli par ses nouveaux frères avec la gentillesse légendaire du peuple koudish. Catherine, elle, observait avec intérêt les créateurs de la couverture magique, qu'elle trouva très vite, elle aussi, fort attachants.

20
Une découverte inespérée

— Alors Markus! Tu la fais chauffer cette marmite? demanda Will, impatient de commencer la concoction salvatrice.

— Avant tout, tu dois voir Kiröd. J'ignore ce que tu as en tête mais, lorsque tu seras devant le maître, je crains que ton espoir de guérison ne s'amenuise, répondit Markus.

Puis, silencieusement, il conduisit Will à la demeure du vénéré chef koudish.

Sur le pas de la porte, Yolek, qui veillait jalousement son maître, adressa à Will un faible sourire. Ce dernier eut un choc lorsqu'il aperçut Kiröd tordu par la douleur. La moitié de son corps avait déjà disparu en grande partie, ses jambes et son bassin étant truffés de plaques d'invisibilité. Le pauvre Kiröd ressemblait à une passoire tant le bas de son corps était rongé par le Magimort vorace. Will s'avança avec respect auprès du vieux magicien. Celui-ci ouvrit des yeux vitreux et injectés de sang.

— Will! Tu es venu pour moi?

— Oui, chef Kiröd. Et j'ai sur moi le seul antidote au Magimort vorace.

— Hélas mon ami, je crains qu'il ne soit trop tard pour tenter quoi que ce soit.

— Non, chef Kiröd, vous ne pouvez pas mourir! Le Grand Esprit ne le permettra pas! Nous allons préparer l'antidote. Dites-nous seulement comment procéder, je vous en prie.

Kiröd, ne voulant pas décevoir Will, fit signe à Markus d'approcher. Durant quelques instants, il lui tint un discours en langage koudish.

— Que t'a-t-il dit? demanda Will.

— Suis-moi, se contenta de répondre Markus qui semblait contrarié.

Ce dernier conduisit Will dans la grande salle des fourneaux où Kiröd entreposait sa grosse marmite.

Tout en fronçant les sourcils, il s'efforçait de soulever la grosse marmite du chef.

— Je me demande comment je vais faire… je ne suis pas prêt! grommela Markus.

— Tu l'es! insista Will en prenant de sa grosse main l'anse du chaudron qu'il leva à bout de bras. Où veux-tu que je la dépose?

— Par ici.

Markus indiqua l'endroit, derrière la maison de Kiröd, où celui-ci avait l'habitude de concocter ses potions.

Il s'engouffra ensuite dans une petite remise en bois. Une fois à l'intérieur, il se mit à fouiller sous un grand comptoir sur lequel étaient entreposés la plupart des potions magiques et herbages séchés dont Kiröd se servait. Après avoir envoyé valser dans les airs de nombreux manuels de magie, Markus s'exclama :

— Ouf, le voilà enfin!

Il exhiba un vieux grimoire poussiéreux recouvert d'un cuir noir très épais duquel il chassa, de la main, une imposante couche de poussière. Un mystérieux sigle doré de forme ovale en ornait la couverture. Dans cet ovale, un serpent à la bouche grande ouverte semblait cracher une gerbe de fleurs, desquelles jaillissaient des rayons dorés. Dans le bas une inscription étrange apparaissait en lettres de feu.

— Qu'est-ce que cela veut dire, Markus?

— Je n'en suis pas sûr, mais je crois que ça représente la volonté pour tout bon magicien de faire le bien, et cela, même s'il s'agit au départ de forces négatives.

Dès que Markus entrouvrit le grimoire, le sigle qui l'ornait se mit à briller et le serpent passa du rouge vif au vert jade.

— Vraiment étrange ce grimoire, marmotta Will.

— C'est le grand livre de la vie. Selon Kiröd, il fut écrit avec le sang de sept Zoviats, parmi les plus sages de nos ancêtres.

— Je sais, je les connais, renchérit Will.

Lisant l'incrédulité sur le visage de Markus, il lui résuma son dernier voyage au cœur du continent oublié. Il ne manqua pas de le remercier chaleureusement pour avoir, lui et Yolek, sans même s'en rendre compte, investi son épée des pouvoirs koudishs qui lui avaient permis de survivre sur le Guibök.

— Ça alors! Qui l'aurait cru! lâcha Markus.

Plein de gratitude, il remercia Will de tous les risques et dangers que Catherine et lui avaient affrontés, pour sauver Kiröd.

— Ceci dit, mon ami, qu'attendons-nous pour préparer cet antidote? demanda Will en coupant court aux remerciements.

Après avoir feuilleté un moment les pages du vieux grimoire, Markus s'activa. Sous le regard intrigué de Will, il mit à bouillir, à l'extérieur, une bonne quantité d'eau de pluie nocturne dans la marmite de Kiröd. Il y mêla ensuite différents ingrédients conservés par le vieux maître magicien dans des fioles aux formes insolites. Puis, quand le tout eut bouilli un long moment, Markus demanda :

— Maintenant, Will, il me faut le Manoulia et le Brantallius. Je dois rajouter ces deux ingrédients en même temps pour que la réaction commence.

— Mais… fit Will tout penaud, en sortant les petits cœurs de Nymphes. Je n'ai que ça. Gaël ne m'a jamais parlé de Branta… quelque chose.

— Will! Il nous faut absolument le Brantallius pour compléter l'antidote sinon la réaction n'aura pas lieu et tu auras fait tout cela pour rien!

— Markus, je te jure que j'ignore ce qu'est ce Brantallius ni, si c'en est une, où cette plante peut pousser, s'excusa Will.

Markus replongea son nez dans le grimoire, puis demanda à Will.

— Will, au cours de ton voyage au Guibök, aurais-tu approché le Mognân?

— Le Mognân? Bien sûr! C'est là que j'ai rencontré les Zoviats. J'y suis même tombé au fond et je dois la vie à de drôles de plantes qui ont amorti ma chute. Je dois avouer que sans elles je ne serais pas là en train de te parler en ce moment.

— Tu as donc vu des Brantallius. On les décrit ici comme des petites fleurs en forme d'araignée aux pétales d'un mauve vif tacheté de blanc.

— Mais oui, je les ai vues! Je les ai même touchées puisque leurs tentacules, au bout desquels elles poussent, m'ont attrapé et m'ont déposé sur le sol du Mognân.

— Si elles ont été en contact avec toi, peut-être ont-elles laissé une trace sur tes vêtements. Pour déclencher la réaction, il me suffirait de recueillir une infime parcelle de cette plante. Ne bouge pas, je vais inspecter tes habits.

Markus se mit à passer et repasser ses mains sur la chemise de Will. Ne trouvant rien, il décida d'examiner son pantalon. En retournant la poche arrière, un petit morceau de végétal séché tomba sur le sol.

Après un court instant d'observation, Markus regarda Will puis il s'écria, fou de joie :

— Ça en est! C'est bien du Brantallius!

Sidéré tout d'abord par cette étonnante découverte et se demandant comment le fameux pétale avait bien pu aboutir dans sa poche, Will eut ensuite une pensée reconnaissante pour le Grand Esprit. Il lui parut évident que ce dernier, qui s'était révélé à lui sous les traits du mystérieux poseur de pierres, était à l'origine de cette trouvaille inespérée.

De nouveau plongé dans la préparation de sa concoction, Markus murmura, l'air songeur:

— Espérons que cela soit suffisant pour sauver notre bien-aimé Kiröd...

Soulagé, Will observait silencieusement les moindres gestes de Markus, en retenant son souffle dans l'espoir que le miracle se produise.

Lorsque la potion commença à dégager une fumée brunâtre, Markus jugea qu'elle était à point.

— Ça y est! L'antidote est maintenant prêt à être transféré. Will, apporte-moi la grosse fiole, là sur la tablette.

Réunis une fois de plus pour une même cause, les deux compagnons s'activèrent autour de la grosse marmite qui bouillait à gros bouillons, afin d'en transférer le précieux liquide.

— C'est le moment de vérité! lança Markus.

Ils se dirigèrent ensuite vers la chambre de Kiröd. Le petit Koudish, qui marchait devant, versa une fine poudre bleue dans le contenant, tout en récitant une formule magique pour refroidir instantanément le mélange.

— Markus! C'est à moi de lui donner, déclara Will en tendant la main vers l'éprouvette.

— Bien, fit Markus en lui remettant précautionneusement le précieux liquide.

Quand ils arrivèrent au chevet de Kiröd, celui-ci ouvrit les yeux. Will déclara alors sur un ton solennel :

— Chef Kiröd! Vous qui m'avez sauvé la vie, ce fut pour moi un honneur de combattre sur le Guibök afin d'en rapporter les éléments indispensables à l'antidote que Markus vous a préparé. Buvez et que le Grand Esprit exauce nos prières!

Puis, il amena lentement l'éprouvette au niveau de ses lèvres. Un silence religieux sévit dans la chambre durant tout le temps que le vieux maître ingurgita le mélange.

Lorsque ce fut terminé, Will ajouta :

— Maintenant, chef Kiröd, pour votre bien et celui de toute la communauté koudish, que j'aime et respecte profondément, je vous libère solennellement de la promesse que vous m'avez faite au retour de notre victoire sur Malgor.

Kiröd eut l'air surpris. Il ouvrit la bouche comme s'il allait parler puis, après quelques soubresauts, il s'évanouit.

— Il est mort! pleura Yolek, la gorge serrée par l'émotion.

— Mais non, c'est l'effet de la potion, le rassura Markus après avoir pris son pouls. Venez à présent, laissons-le se reposer. Il est dit dans le grimoire que les résultats peuvent se manifester jusqu'à une journée ou plus après l'ingestion.

Mais Yolek, refusant de quitter son vieux maître, demeura à son chevet.

21

Double séparation

À l'extérieur un cercle de visages anxieux attendait Will et Markus. Catherine, Ômod et tous les Koudishs étaient attroupés devant la demeure de Kiröd. Ces derniers, ayant été mis au courant par Catherine des péripéties de leur voyage sur le continent oublié, espéraient une bonne nouvelle.

— Comment va le chef? demanda l'un d'eux.

— Va-t-il s'en sortir? questionna un autre villageois inquiet.

— Actuellement, nous ne pouvons que prier et espérer le rétablissement de notre bien-aimé Kiröd, répondit simplement Markus.

— Oh! fit la clameur qui monta de toutes les bouches, alors que la déception pouvait se lire sur le visage des villageois.

Markus accompagna Will, Catherine et Ômod jusqu'à une table dressée, sous les arbres de la Grand-Place. Presque cérémonieusement, ils savourèrent, assis par terre, leur premier vrai repas depuis longtemps. Ce qui combla leurs estomacs malmenés par les nombreuses privations. Durant ce temps, Markus allait de temps à autre aux nouvelles, revenant chaque fois avec le même verdict qu'il annonçait avec un trémolo dans la voix.

— Son état est stable pour le moment, mais rien ne laisse présager un retour à la santé, ni une aggravation du mal, d'ailleurs.

Épuisés, Will et Catherine s'étaient endormis au pied du grand Amura qui trônait au centre du village. Ils furent soudainement tirés de leur sommeil par des cris puissants au-dessus d'eux.

— Il est de retour! Le chef est guéri! hurlait à pleins poumons Yolek, fou de joie.

Will, dans un élan de joie, attrapa Catherine à la taille et, la soulevant de terre, lui fit faire deux ou trois tours dans les airs en pivotant sur ses talons. Comme il la déposait par terre, devant lui, elle l'entoura de ses bras et, se levant sur la pointe des pieds, elle déposa sur ses lèvres un baiser furtif.

— Merci, Will. Merci pour tout! Je suis tellement heureuse!

— Catherine... Sans toi, je n'y serais jamais arrivé, lança Will en jetant à sa compagne un regard qui n'était plus seulement celui de l'amitié.

Mais, anxieux de revoir Kiröd, ils interrompirent leurs effusions et se dirigèrent vers sa maison. Au passage, des Koudishs reconnaissants leur firent de nombreuses accolades fraternelles. Curieusement, ces derniers avaient repris leur teint radieux, comme si leur santé fut directement liée à celle de leur chef.

— Chef Kiröd, vous revoilà enfin! Comme je suis heureux de vous retrouver à nouveau en un seul morceau! plaisanta Will.

— Will, mon garçon, comment pourrais-je jamais te remercier pour ce que tu as fait. Je sais que tout ça n'a pas été facile, car durant ma rémission, grâce aux extraits de plantes du Guibök mêlés à la potion, j'ai vu en rêve toutes les péripéties de ton voyage... Mais dis-moi, tu ne m'as pas présenté la ravissante jeune fille que je remarque à tes côtés?

— Chef Kiröd, voici Catherine, ma meilleure amie et plus fidèle complice, répondit Will en lançant vers celle-ci un tendre regard.

— Et toi, tu es Ômod, dit Kiröd en se tournant vers le petit Koudish qui se tenait un peu à l'écart. Sois le bienvenu dans ton nouveau village! Ici, tu es désormais chez toi. Nous allons te construire une maison, sans tarder.

Aidé de son fidèle Yolek, le chef des Koudishs se leva lentement. Reconnaissant, il posa une main paternelle sur l'épaule de son fidèle sujet pour se diriger ensuite vers Markus.

— Maintenant, tu crois à ce que je t'ai dit sur mon lit de souffrance, lança Kiröd avec un clin d'œil.

— Oui, chef, acquiesça Markus.

— Mais que lui a-t-il dit? murmura Catherine à l'oreille de Will

Celui-ci s'exclama sous le regard approbateur de Kiröd :

— Markus, j'ai toujours su que tu avais l'étoffe d'un chef...

— C'est exact et c'est pourquoi je n'ai pas mis en doute un seul instant tes capacités à pouvoir préparer l'antidote, renchérit Kiröd.

Puis le vieux sage descendit lentement la place du village pour fêter son retour avec les villageois maintenant rassurés.

Après la petite fête, Kiröd amena Will à l'écart pour lui parler.

— Will, la pierre du Guibök m'a permis de savoir que ton père adoptif était atteint d'une maladie incurable chez toi, appelée : Mal noir. Suis-moi, j'ai quelque chose qui le remettra sur pied en moins de temps qu'il n'en faut pour le dire, assura Kiröd.

Will le suivit docilement jusqu'à son atelier. Une fois sur place, le vieux chef s'exclama :

— Quelle pagaille! Qui a tout mis sens dessus dessous ici? Je ne m'y retrouve plus!

— Euh, c'est moi, chef Kiröd, balbutia Will. J'ai bêtement trébuché et j'ai atterri sous votre comptoir.

— Il n'y a personne de plus brave que toi, Will Ghündee, mais il n'y a pas non plus de pire menteur! Je sais bien que c'est Markus qui, dans son empressement à vouloir me sauver, a mis en désordre mon atelier. Bah, après tout, ce n'est pas si grave, compte tenu du résultat obtenu.

Ayant remis un semblant d'ordre pour s'y retrouver, Kiröd allongea le bras et saisit une fiole remplie d'une substance gluante. Il en versa le contenu sur une feuille séchée, posée au fond d'un grand bol en bois.

Ensuite, le vieux magicien arracha à Will quelques cheveux qu'il mêla à un peu d'eau du ruisseau magique conservée dans une petite fiole scellée.

Du bol, se dégagea soudain une fumée blanchâtre qui tourna vite au jaune, puis au vert.

— Bon, ça doit mijoter encore un peu, précisa le vieux maître.

Il donna ensuite un dernier coup de spatule à sa concoction et invita Will à rejoindre la foule.

)) ☆ ((

Pendant que Will discutait chaleureusement avec les villageois, Kiröd s'absenta quelques instants. Il revint ensuite vers eux en s'aidant de sa canne. Dans sa main libre, il tenait une petite fiole contenant un liquide vert qu'il remit à Will après lui avoir fait une accolade. Le vieil homme fit ensuite signe à Catherine de se pencher vers lui. Il déposa alors sur sa joue un baiser paternel en signe de reconnaissance.

— Will, Catherine, je crois que vous avez hâte de rentrer pour soigner le maître de forge. Avec le remède que je t'ai préparé, Will, il sera sur pied rapidement. D'après mes renseignements personnels, son état, qui se détériore lentement, peut supporter encore quelque délai. Ne tardez pas trop, toutefois, car, à partir d'un certain cap, la maladie pourrait laisser des séquelles irréversibles.

« Une fois chez toi, Will, ton père devra avaler d'un trait la potion que j'ai préparée pour lui. Et, dis-lui bien de faire fi du scepticisme des hommes de science de son monde. Ils ne comprendront rien à son soudain rétablissement. »

— Merci, chef Kiröd! Merci pour tout. Grâce à votre aide, nous allons remettre sur pied le vieux Rod, le temps de le dire, promis Will.

Une grande tristesse envahit aussitôt le visage d'Ômod à l'idée de se séparer de Catherine.

— Princesse, ce fut pour moi un honneur de vous connaître et, n'eussent été de votre courage et de votre ténacité, jamais je n'aurais connu cette nouvelle vie.

— Ômod! Mais quand comprendras-tu que je ne suis pas une princesse, rétorqua Catherine en baissant la tête pour cacher ses émotions.

— Oh si, vous en êtes une, ma petite! renchérit Kiröd, avant d'incliner la tête devant elle.

Will approuva cette dernière remarque d'un hochement de tête. Il se tourna ensuite vers Markus et Yolek, ses fidèles compagnons, pour leur dire au revoir, tandis que le chef Kiröd sortait la pierre ancestrale du Guibök. À demi découverte, celle-ci brilla de tous ses feux.

Kiröd s'approcha de Will et, à sa grande surprise, lui tendit la pierre ancestrale.

— Will, depuis le temps, tu es devenu un véritable frère pour nous tous. Alors puisque tu m'as courageusement libéré du lien qui m'unissait à toi, je te fais don de la pierre ancestrale. Elle te permettra, en cas de besoin, de voyager d'un univers à l'autre. Tu n'auras qu'à fermer les yeux puis à visualiser l'endroit où tu désires te retrouver. Prends garde, toutefois, la pierre ne peut servir qu'à un être bien intentionné et ne doit être utilisée qu'en cas de nécessité. Voilà! Que le Grand Esprit te guide et te protège!

Après avoir jeté un regard plein de gratitude au vieux chef des Koudishs, Will prit la main de

Catherine et l'invita à toucher la pierre en même temps que lui.

À présent confiants d'arriver à temps pour pouvoir sauver le vieux Rod, tous deux, d'un même geste, posèrent leur main sur la pierre et disparurent sous le regard bienveillant des Koudishs...

𝔍𝔫𝔡𝔢𝔵

Répertoire des personnages, créatures et artéfacts

Bizantium : issu de manipulations hasardeuses, ce dangereux minerai recèle de grands pouvoirs.

Brantallius : plante tentaculaire aux énormes fleurs en forme d'araignée de couleur mauve vif tachetée de blanc.

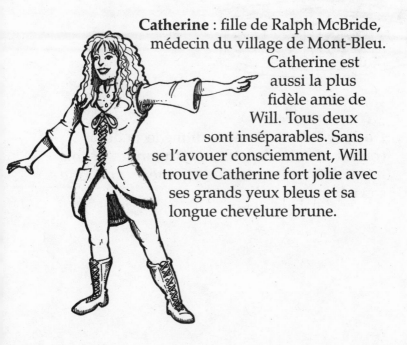

Catherine : fille de Ralph McBride, médecin du village de Mont-Bleu. Catherine est aussi la plus fidèle amie de Will. Tous deux sont inséparables. Sans se l'avouer consciemment, Will trouve Catherine fort jolie avec ses grands yeux bleus et sa longue chevelure brune.

Choc de Demsted : symptôme découvert par le docteur Demsted. Traumatisme cérébral pouvant parfois occasionner un coma temporaire.

Dame de la fontaine : transformation de la statue représentant une femme d'une grande beauté tenant dans ses mains une harpe de laquelle s'écoule une eau parfaitement limpide.

Docteur Demsted : meilleur médecin de la contrée et médecin personnel du prince Victor. Il a découvert le « choc de Demsted » qui porte son nom.

Docteur McBride : médecin de Mont-Bleu et père de Catherine, il connaît bien tous les habitants de son village et fait tout ce qui est en son pouvoir pour les maintenir en bonne santé.

Dorothée Bigsby : femme du vieux Rod et mère adoptive de Will. Dorothée Bigsby a surnommé Will « son soleil sur deux pattes ».

Drômes : dangereux spectres pouvant prendre
différentes formes. Ces colosses vaporeux sont
aussi appelés hommes-brouillards ou encore
hommes-paillis.

Emlish : autrefois surnommé « le grand sage »,
ce spectre et ancien chef
des Koudishs peut
se révéler des plus
redoutables lors-
qu'il est contrarié.

Épée de Will : réplique exacte de l'épée du
Grand Esprit que Will a forgée secrètement.
Lors de leur dernière visite, Markus et Yolek,
en signe de reconnaissance, l'ont décorée
de pierres précieuses, grâce à leur magie,
afin de la rendre parfaitement conforme à
l'originale.

Forêt des ombres : forêt très dense, jonchée
d'arbres morts et infestée de Môglishs et autres
créatures dangereuses, dont l'accès est difficile
et la sortie réputée impossible.

Gaël : protecteur divin de Will, après avoir été
son compagnon porte-bonheur, sous la forme
d'un Taskoual du nom d'Arouk.

Guibök : aussi appelé le « continent oublié ». Endroit où vivait jadis le peuple des Koudishs.

Jabura : rivière de vérité. Ne la traverse pas qui veut!

Luzlor à crête : gros volatile au plumage noir et aux longues oreilles en pointe. Lointain cousin du Huzak, sa queue et ses pattes griffues s'apparentent plutôt à celles d'un lézard. Lorsqu'il se met en colère, une collerette de pointes acérées jaillit tout autour de sa tête.
Seul <u>représentant</u> connu : KROCO.

Mal noir : maladie très rare et incurable qui affecte principalement les fonctions motrices.

Magimort vorace : mal mortel qui atteint les maîtres magiciens lorsque ceux-ci n'arrivent plus à préserver l'équilibre fragile du Vectrôm du cœur.

Manoulia : bouton rouge écarlate de la Nymphe des neiges. En forme de cœur humain, il est réputé avoir un puissant pouvoir curatif.

Milrod, troisième du nom : ancien Koudish victime d'une malédiction qui retient son âme prisonnière d'un tombeau de pierre.

Mognân : gigantesque crevasse empêchant l'accès à la seconde partie du Guibök.

Mont Éterna : redoutable montagne au sommet enneigé situé au cœur des plaines lunaires.

Mer d'Okval : mer qui baigne les côtes du Guibök.

Môglishs : mutants koudishs s'étant adaptés à l'environnement hostile du Guibök et ayant conservé de redoutables pouvoirs. Leurs morsures sont extrêmement douloureuses.

Mont Oufad : point extrême de la Forêt des ombres.

Nahala (les plaines de) : terres sablonneuses parsemées de cailloux aux formes insolites aussi appelées « plaines lunaires » en raison de la vue imprenable sur les deux lunes que l'on a de cet endroit.

Nymphe des neiges : plante rare, de couleur ocre vif, qui n'éclot que deux fois par an, dans les hauteurs, au creux des cavités rocheuses.

Olfara : végétal rampant qui survit en suçant le sang de ses victimes après les avoir étouffées.

Ômod : Môglish repenti qui cherche désespérément à retrouver son ancienne condition.

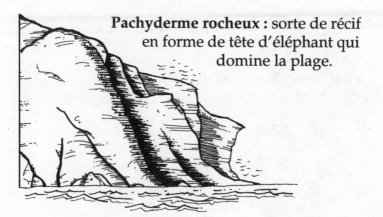

Pachyderme rocheux : sorte de récif en forme de tête d'éléphant qui domine la plage.

Poseur de pierres : mystérieux personnage, vêtu d'une vieille tunique rapiécée, à la voix caverneuse.

Prince Victor : seigneur de la contrée dont fait partie Mont-bleu. Il habite un grand château sur les terres entourant le Mont-Bleu.

Razemottes : mutants koudishs ayant l'apparence de minuscules humanoïdes vivant dans la Forêt des ombres.
<u>Représentant</u> : GIÔDO, chef.

Rod Bigsby :
surnommé le
« vieux Rod »,
le forgeron de
Mont-Bleu a
adopté Will lors
de son retour du
monde parallèle.
Homme fort
du village, il aime
Will comme son fils.

Spectres: redoutables
gardiens de l'ancienne
cité Koudish.

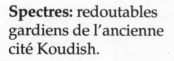

Vampouz : ombres noires voleuses d'âmes qui poussent d'affreux gémissements semblables à des grincements de portes.

Zoviats : spectres des gardiens de la sagesse ancestrale liée à la magie koudish.